20 V[...]
QUE USTED PUEDE
TRANSMITIRLES A SUS HIJOS

Barbara C. Unell
Jerry L. Wyckoff, Ph.D.

Traducción
Helena Salazar

GRUPO
EDITORIAL
norma

Barcelona, Bogotá, Buenos Aires, Caracas, Guatemala,
Lima, México, Miami, Panamá, Quito, San José,
San Juan, San Salvador, Santiago de Chile.

Edición original en inglés:
20 TEACHABLE VIRTUES
Practical Ways to Pass on Lessons of Virtue and Character to Your Children
de Barbara C. Unell y Jerry L. Wyckoff, Ph.D.

Una publicación de The Berkley Publishing Group
200 Madison Avenue, New York, NY 10016, U.S.A.

Impreso por Quebecor Impreandes
Impreso en Colombia - Printed in Colombia

Edición, Juan Fernando Esguerra y Patricia Torres
Diseño de cubierta, María Clara Salazar
Armada electrónica, Andrea Rincón y Zobeida Rámirez

Este libro se compuso en caracteres A Caslon.

ISBN 958-04-3708-4

20 VALORES
QUE USTED PUEDE
TRANSMITIRLES A SUS HIJOS

Esperamos que nuestros hijos —Amy Elizabeth, Justin Alex, Christopher Britt y Alicia Leigh— comprendan que sus raíces éticas se pueden encontrar aquí, con nosotros, en este libro familiar sobre carácter y virtud... incluso aunque la vida los conduzca hacia aventuras que los alejen corporal, mas no espiritualmente, de su familia. Esperamos que estos valores brillen siempre en su interior e iluminen los senderos que recorran al realizar sus sueños, de la misma manera como alumbraron el camino a tantas generaciones precedentes.

CONTENIDO

PREFACIO

virtud. *f.* **5.** Integridad de ánimo y bondad de vida. **6.** Disposición constante del alma para las acciones conformes a la ley moral. **7.** Acción virtuosa o recto modo de proceder. **moral.** Hábito de obrar bien, independientemente de los preceptos de la ley, por sola la bondad de la operación y conformidad con la razón natural.

EL PRIMER Y MÁS IMPORTANTE maestro de virtud y carácter que puede tener un niño es el adulto que se ocupa de él. A través de las pautas dadas por dicha persona, cada niño puede aprender lo que se siente al confiar en que alguien siempre estará allí, dispuesto a darle amor incondicional y a satisfacer sus necesidades básicas. Esta experiencia de recibir amor incondicional es la primera lección sobre la cual reposarán todas las demás lecciones de virtud y carácter. El amor incondicional es un obsequio que se le da libremente al niño por la sencilla razón de que es un ser humano precioso. Se le da sin reserva, sin esperar nada a cambio y sin exigencias, cualquiera que sea el comportamiento del niño.

En el contexto de este amor, los bebés empiezan a aprender lo que "está bien" y lo que "está mal" a través de la interacción con su ambiente y de descubrir que este importante adulto pone límites a lo que les está permitido y no les está permitido hacer. Así se inicia el proceso por medio del cual un niño se convierte en una persona que puede vivir en un mundo civilizado.

Aprender estas lecciones sobre lo que "está bien" y lo que "está mal" puede serles fácil a algunos niños y presentar alguna dificultad para otros, según como puedan manejar el no ver sus necesidades satisfechas inmediatamente y cuán pronto se adapten al bien mayor del grupo social para obtener así la aprobación de los adultos que los atienden y los rodean. Es decisivo para las familias entender este hecho, porque este amoldamiento del carácter moral de los niños depende de dos variables principales: la composición distintiva de la "arcilla" (seguro de sí mismo/pasivo, extravertido/introvertido, triste/alegre, tranquilo/inquieto, tímido/audaz y, desde algunos puntos de vista, macho/hembra) y las habilidades aprendidas de los padres o de otros adultos "escultores", que están moldeando la arcilla, la cual puede variar dentro de la misma familia e incluso en el curso de un mismo día.

No obstante, para aprender a vivir en sociedad todos los niños deben aprender a equilibrar sus deseos personales con las necesidades del grupo social (familia, vecindario, escuela, sociedad). Hoy en día encontramos muy escasos ejemplos de este tipo de equilibrio, pues la gente antepone todo el tiempo sus propios deseos y necesidades a los de los demás. Con este libro todos los padres, los escultores, pueden enseñarles a sus hijos, la arcilla, los valores necesarios para crear ese equilibrio y contribuir significativamente a la familia y a la sociedad, al mismo tiempo que se convierten en esa clase de seres humanos responsables, atentos y amables que todos deseamos que ellos sean.

"Si usted es padre o madre, reconozca que ése es su más importante, exigente y gratificador desafío. Lo que usted haga cada día, lo que diga y la manera como actúe, influirá en la conformación del futuro de nuestra sociedad más que cualquier otro factor".

— MARION WRIGHT EDELMAN

INTRODUCCIÓN

"Si yo no soy para mí, ¿quién es para mí?
Y si yo soy sólo para mí, ¿qué soy yo?
Si no es ahora, ¿cuándo?"

— HILLEL

IDEALES, ESPERANZAS, SUEÑOS, INOCENCIA. Cuando imágenes de las más crueles realidades del mundo entero — la guerra, el abuso, la violencia de todo tipo — son accesibles instantáneamente al tocar un botón o volver una página, es difícil mantenerse idealista, esperanzado, positivo. Cuando no se le deja nada a la imaginación, es difícil dejarse impresionar o sentir admiración hacia un territorio nuevo, fresco y virgen. Cuando el lado oscuro de la naturaleza humana, el lado tormentoso y complicado, es la imagen dominante de los héroes y heroínas de la política, el entretenimiento y los deportes, es difícil sentir solidaridad y confianza hacia nuestros congéneres.

No es, por lo tanto, sorprendente que actualmente sea difícil para los niños crecer en medio de las tormentas de nuestra sociedad. Tampoco lo es el que muchos nos preocupemos en la quietud de la noche, o comentemos repetidamente con nuestros compañeros de trabajo: "¡Qué confusión en la que crecen nuestros niños!". Y no obstante, las soluciones que cada uno de nosotros puede aportar para ayudar a que las tormentas se conviertan en cielos soleados no parecen, a primera vista, ser capaces de dispersar las nubes.

"¿Para qué tratar?", dicen algunos. Los problemas parecen tan inmensos y la gente encargada de resolverlos está tan lejos, es tan poderosa , tan acaudalada y vive tan ausente de nuestros hogares, nuestras oficinas y nuestras escuelas. Los sentimientos de impotencia nos consumen al ver a nuestros niños, incluso a los más pequeños, recibir de sus compañeros, de los medios de comunicación, de la violencia escolar y de todas partes, las lecciones que justamente *no queremos* que aprendan. ¿Para qué tratar?

Pero sabemos, por nuestra experiencia diaria, que lo único que se puede hacer cuando hay desorden y confusión es poner orden: aprender a mantener las cosas más ordenadas cada día y sentir satisfacción por el trabajo realizado. De eso trata este libro: de la limpieza diaria de la forma en que nos tratamos a nosotros mismos, a nuestras familias, a nuestros vecinos. Un trabajo que nos concierne a todos.

Este libro celebra el hecho de que cada uno de nosotros tiene la responsabilidad de prevenir y limpiar el desorden de un mundo falto de carácter y moralmente sucio. El clima de virtud y valores morales en el que todos queremos que crezcan nuestros hijos puede ser creado al mirar en nuestros corazones, nuestras almas y nuestras mentes, y enseñar las lecciones que sabemos deben ser enseñadas — justamente estas lecciones que usted tiene en sus manos.

Piense en este libro como en su caja personal de herramientas para limpiar el ambiente que lo rodea, un compromiso individual que está adquiriendo para acabar con la polución en la vida de nuestros hijos. Es una llamada a despertar, que dice: "¡Ya no más!"

"¡Puedo hacerlo!", les digo a mis amigos en el trabajo y me digo a mí mismo en la quietud de la noche. "Tengo con mis hijos el compromiso de ayudarlos a aprender los valores morales expuestos en este libro, los cuales datan de muchas generaciones y han sido probados por el tiempo y universalmente aceptados. ¡Sé que quiero educar hijos que tengan esos valores! ¡Sólo necesito saber cómo hacerlo!"

Le prometemos que aprender cómo enseñarles a sus hijos las lecciones de este libro será para usted una experiencia maravillosa: usted y sus hijos aprenderán a ser más compasivos, menos temerosos y más respetuosos de sí mismos, además de ser más positivos acerca del futuro de toda la sociedad.

Es innegable que estos veinte valores siempre han sido entendidos como los dogmas básicos sobre los cuales una sociedad cívica, moral y justa debe operar. También es innegable que se han escapado de nuestras reglas y prioridades diarias de vida, a medida que las familias se han vuelto más ocupadas e inestables. Es bueno saber, sin embargo, que podemos incorporar estos valores dentro del alimento diario que les proporcionamos a nuestros hijos, a un precio menor que el de no hacerlo. Al volver a transmitir estas lecciones a la nueva generación, así como nuestros abuelos las transmitieron a nuestros padres y éstos a nosotros, estaremos entregando un don tan precioso e invaluable, que continuará incrementando su valor más allá de lo que dure nuestra vida, pues será la base de la vida familiar para las generaciones venideras.

La responsabilidad de enseñar estos veinte valores reposa enteramente en nuestras manos. Ninguna otra institución puede transmitir el don de estos valores tan significativa y cómodamente como la familia. Es en estos mosaicos individuales formados por una historia común, en estos genes compartidos y en estos ambientes amables y familiares, en donde verdaderamente reposa el fundamento universal del carácter humano — empatía, responsabilidad, solicitud y confianza — con el cual estos valores se forjan. En forma tan imperceptible como la caída de una pestaña, nuestros modelos morales caen sobre jóvenes y sedientas esponjas día a día, esponjas ansiosas de absorber sin descanso estas lecciones esenciales de vida.

"Educar a una persona mental y no moralmente es educar una amenaza para la sociedad".
— Theodore Roosevelt

Cómo aprenden los niños

Actualmente, hablar sobre la virtud, los valores, la moral y el carácter está a la vanguardia del movimiento para el cambio social. Sin embargo, es importante comprender que estos rasgos deben ser enseñados en lugar de simplemente hablar sobre ellos.

Debido a que los niños son bastante concretos en su visión del mundo, es difícil enseñarles conceptos demasiado abstractos. Cada uno de estos veinte valores es un conjunto abstracto de conceptos que puede ser difícil de entender para algunos niños. Más aún: incluso aunque puedan definir el valor en sí, pueden no tener las habilidades necesarias para ponerlo en práctica. Por esta razón hemos identificado cada valor con comportamientos que pueden ser observados: de manera que cada niño pueda aprender cómo hacer lo que se

le pide. Los padres no deben preocuparse por las actitudes de los niños, porque las actitudes son elaboraciones
hipotéticas derivadas del comportamiento. El cambio de
comportamiento precede al cambio de actitud; de manera
que si se requiere un cambio de actitud, primero debemos
cambiar el comportamiento enseñando uno más apropiado.

Hay comprobadas maneras de que los niños aprendan
comportamientos que pueden ser empleados para enseñarles valores. Para convertirse en un buen profesor de comportamiento, o de cualquier materia, los padres deben seguir los
siguientes pasos básicos:

1. Establecer objetivos que los niños deben lograr.
2. Definir los comportamientos que se necesitarán para
   lograr los objetivos.
3. Dar ejemplo de los comportamientos, de manera que los
   niños tengan una imagen mental de lo que son esos
   comportamientos.
4. Estimular en el niño la práctica de esos comportamientos.
5. Reforzar la práctica a través del empleo de elogios y
   privilegios.
6. Observar a los niños para determinar si los comportamientos han sido aprendidos.

"Sólo hay un rincón del universo que usted
puede estar seguro de mejorar: usted mismo".
— ALDOUS HUXLEY

Cómo integrar los valores a la vida familiar

En cuanto sociedad, hemos perdido el arte de la reflexión, la capacidad de pensar profunda y seriamente sobre temas importantes. En su lugar, a través del brillo y la atracción que ejercen los medios de comunicación, hemos aprendido a sentir solamente lo que los demás están sintiendo al experimentar como propias las experiencias que otros viven ante nuestros ojos. Al reaccionar sólo emocionalmente, estamos dando nuestra aprobación tácita a lo que estamos presenciando, sin evaluar si es correcto o incorrecto, moral o inmoral, ético o antiético, o si concuerda con nuestras propias normas de vida. Hemos reemplazado el pensamiento por la emoción.

Sin embargo, para la enseñanza de los valores morales es esencial adquirir la muy importante capacidad de reflexionar sobre las experiencias vitales. El aprender de las experiencias depende de la capacidad para reflexionar sobre ellas y para adquirir formas de comportamiento nuevas y más apropiadas. Cuando nuestra respuesta a las experiencias se limita a la emoción, adquirimos la imagen de lo que "está bien", pero sin que ésta se integre a nuestra forma de vida.

Para transmitirles estos veinte valores a sus hijos, usted debe empezar por tomar conciencia de que ellos son la base de su propia definición de la rectitud y la integridad. Tome nota de su forma de reaccionar cuando alguien le entrega más dinero del que corresponde al recibir el cambio en un almacén. ¿Cómo reacciona usted cuando su hijo llega diez minutos más tarde de la hora señalada para recogerlo?

Establecer sus propias normas de vida y vivir de acuerdo con ellas no es cosa de magia; sólo se necesita establecer prioridades y elegir formas de comportamiento morales y éticas en vez de optar por el egocentrismo, la búsqueda del beneficio propio y el deseo de ganar a cualquier costo. Los valores no se inculcan a la fuerza; en realidad, es exactamente lo contrario. La enseñanza de los valores morales se lleva a cabo a través de las interacciones diarias con los niños: durante un paseo por el centro comercial, mientras se hace cola en el restaurante o cuando nos dirigimos hacia el campo de práctica de nuestro deporte preferido.

Entonces, si la práctica de los valores es algo tan fácil, ¿por qué la gran mayoría de las personas no lo hacemos? Porque adquirir la disciplina para hacerlo requiere un esfuerzo considerable, exige un trabajo intenso. En ocasiones puede parecernos más fácil dar gritos y vociferar, ordenar nosotros mismos el cuarto de los niños en vez de tomarnos el trabajo de enseñarles cómo hacerlo, criticar a los demás o encontrar a alguien a quien culpar de los problemas que no podemos resolver en el primer intento. Esto es particularmente cierto si provenimos de padres que moldearon así nuestro comportamiento.

Es un hecho comprobado que las lecciones morales que se exponen en este libro se aprenden mejor de quienes practican lo que enseñan. Cambiar la manera de comportarnos como padres que aprendimos cuando niños, por la que queremos transmitirles a nuestros hijos, puede lograrse si abrimos nuestra mente y nuestro corazón a estas lecciones. Al hacer nuevos "depósitos" en nuestro "banco de enseñanzas" con la utilización de este libro, estaremos haciendo en realidad una inversión. La felicidad, el amor y la esperanza que crecerán a partir de esta inversión están garantizadas por el DFA (Depósito Familiar de Amor), cuyas leyes para hacer negocios son las siguientes:

1. Esté presente como un modelo que representa un papel positivo cuando sus hijos realmente lo necesiten; permita que sus hijos sepan que pueden confiar en que usted así lo hará.
2. Trace un plan disciplinario justo y consecuente.
3. Prodigue amor incondicional, amabilidad y cuidados al poner en vigor la disciplina.
4. Evite contiendas de poder con sus hijos.
5. Sea un modelo de los valores que está enseñando.
6. Establezca cuáles son las prioridades familiares.

"Aquel que conquista a otros es fuerte;
aquel que se conquista a sí mismo es poderoso".
— LAO-TSE

CÓMO UTILIZAR
ESTE LIBRO

ESTE LIBRO ESTÁ ESCRITO en un estilo fácil de leer. En cada capítulo usted encontrará formas para convertir experiencias sencillas de la vida diaria en "momentos educativos" especiales y satisfactorios, llenos de lecciones de virtud. Para lograr esta meta, a menudo recomendamos no usar refuerzos extrínsecos, tales como recompensas materiales, para premiar el comportamiento apropiado. Sin embargo, hemos encomiado el empleo de actividades anheladas y privilegios como motivadores del comportamiento apropiado. Esta recomendación se llama "la regla de la abuela". Esta regla es benéfica porque ayuda a los niños a que consideren sus responsabilidades, sean cuales sean en cada momento de su crecimiento, una prioridad más importante que sus "juegos". En contraste, la recompensa material extrínseca enseña una lección indeseable: sentirse orgulloso del esfuerzo que uno ha realizado no es una razón suficiente, en sí y por sí misma, para hacer algo. Esta actitud que dice: "¿Y qué gano yo?" proviene de la expectativa del niño de obtener dinero, dulces u otras cosas similares antes de comprometerse a hacer algo.

Para ayudarlo a utilizar la "herramienta educativa" de la

regla de la abuela, y muchas otras, en su propia familia, hemos creado una "familia de muestra" en cada capítulo y hemos demostrado cómo esta familia les enseñó a sus hijos una lección en particular y qué trampas eludió al hacerlo. Las trampas, que llamamos "Advertencias", están incluidas en cada capítulo para demostrar que una forma aparentemente positiva de enseñar un valor moral puede, en realidad, dar como resultado el aprendizaje de una lección que usted ¡*no* quiere enseñar!

Cada familia ficticia tiene niños de ciertas edades pero, cualquiera que sea la edad, las herramientas educativas sugeridas son apropiadas para su familia, porque cada una de ellas aprovecha la investigación acerca de la mejor manera como los niños aprenden una lección y cómo debe ésta enseñarse. Para facilitar la lectura, hemos utilizado el pronombre *él* cuando nos referimos a un niño, sea cual sea su sexo.

El libro se inicia con la empatía, valor medular alrededor del cual giran todos los demás valores tratados aquí. Si no se tiene la habilidad para comportarse con empatía, para ponerse en el lugar de la otra persona, se pierde la motivación para los demás valores. Por lo tanto, en este libro usted encontrará en cada capítulo un elemento recurrente: lecciones sobre empatía.

"Me celebro y me canto a mí mismo,
y de lo que yo me apropie usted también se apropiará,
pues cada átomo que me pertenece
también a usted le pertenecerá".
— WALT WHITMAN

EMPATÍA

*"Sólo con el corazón puede uno ver correctamente;
lo esencial es invisible para el ojo".*
— ANTOINE DE SAINT-EXUPÉRY

---

empatía. *f.* **2.** Capacidad de participar en los sentimientos
o ideas de otra persona.

---

o   "¡Mamá! ¿Estás bien? Eso debió de dolerte mucho".

o   "Mamá, eso es pesado. No te vayas a hacer daño".

o   "Oye, mamá, ¡hazlo con cuidado! Déjame ayudarte".

AH... LOS DULCES SONIDOS DE LA EMPATÍA, acariciadora
música para el oído. ¿Podemos *enseñarles* a nuestros hijos a
decir estas cosas porque ellos realmente comprenden que
el bienestar de los demás es importante? ¡Sí! Esta regla
de oro modificada, que los padres de muchos de nosotros
nos enseñaron, está viva y esperando que se la enseñemos a
nuestros hijos.

¿Por qué debe usted enseñarles a sus hijos a que "traten
a los demás de la misma manera como quisieran que los

trataran a ellos mismos"? Porque ellos necesitan aprender formas de comportamiento que demuestren empatía, para ayudarlos a vivir en paz con sus vecinos, a llevarse bien con sus compañeros de trabajo y a disfrutar de las relaciones con sus amigos y su familia. En efecto, la empatía es el material básico de casi todos los ladrillos utilizados en la construcción de ciudadanos sólidos, tanto hoy como en el futuro. La empatía es el cemento de la fórmula secreta utilizada para la construcción de seres humanos solidarios y compasivos, y es tan esencial para nuestra supervivencia como el aire o el agua.

¿A QUÉ NOS REFERIMOS CUANDO HABLAMOS DE EMPATÍA?

- La empatía supone la capacidad de entender y de asumir el papel de otra persona.
- Para sentir empatía, un niño debe ser capaz de reconocer y comprender las emociones de los demás, y después ser capaz de compartir esas emociones.
- A la edad de tres años, la mayoría de los niños han adquirido conciencia de sí mismos, y a través de esa autoconciencia se tornan capaces de sentir y demostrar empatía. Pero si la empatía no se enseña y se fomenta, esta capacidad no se conservará ni se utilizará.
- Generalmente, a la edad de tres años, los niños demuestran empatía cuando alguien se ha hecho daño, una experiencia que ya han vivido y a través de la cual pueden recordar sus propias emociones.
- A los niños que tienen un vínculo sólido con por lo menos un adulto les es más fácil sentir empatía hacia los demás que a aquellos que no lo tienen.

"Sobre empatía aprendí mucho de mi madre, y un poco de mis profesores. La empatía es muy importante. Comprender los sentimientos de los demás es una clave para la amistad, decía siempre mi madre".
— Cara Beth

Conozca a la familia Guzmán

Jorge Guzmán, de nueve años, y su hermana Alicia, de ocho, eran expertos en fastidiarse mutuamente. En efecto, ¡se estaban volviendo locos el uno al otro! En ocasiones, Jorge parecía despiadado cuando irritaba a su hermana, particularmente después de un largo día. Sus padres, Samuel y Nancy, sentían pena por Alicia, pero también comprendían que Jorge no era un "niño malo". El problema en la familia Guzmán provenía del hecho de que ninguno de sus hijos había aprendido formas de comportamiento que mostraran empatía. No sabían cómo mostrar que podían entender las frustraciones de cada cual.

Herramientas de enseñanza

Defina la empatía a través del ejemplo. Encuentre un buen ejemplo que muestre las formas en que dos personas demuestran su interés mutuo cuando están interactuando entre sí, de manera que cada uno de sus hijos sepa de qué está usted hablando cuando usa la palabra *empatía*.

Advertencia: Evite hacerle al niño lo mismo que él
le hizo a su víctima.

No diga: "Puesto que mordiste a tu hermana, yo te
voy a morder para que sepas cómo duele". Cuando
los niños le pegan o muerden a alguien, es tentador
hacerles lo mismo, para que sientan el mismo dolor.
Cuando los niños mayores se insultan o se pegan, es
tentador insultarlos con las mismas palabras hirientes o pegarles de la misma manera. El antiguo adagio
que dice que los palos y las piedras hieren pero las
palabras no, es falso. Las palabras pueden causar
dolor, no sólo momentáneamente sino también en
forma de cicatrices que pueden durar toda una vida
impresas en el corazón y en la mente. Por desgracia,
los niños que reciben un castigo como respuesta a su
comportamiento incrementan su ira y su agresividad,
pierden el respeto hacia el adulto que se lo administra
y su capacidad de sentir empatía disminuye.

Momento educativo

— ¿No fue una amabilidad de tu papá ayudarme a
ordenar después de la cena? Él sabía que yo estaba
cansada y que agradecería su ayuda — les comentó
Nancy a sus hijos, con la esperanza de que ellos también pensaran en la manera de ser amables entre sí.

Más tarde, ese mismo día, Samuel también aprovechó la oportunidad de señalar un comportamiento
que reflejaba empatía: — A tu mamá no le gusta
pedirme que arregle algo, apenas llego a casa. Ella
comprende que he podido tener un día pesado y no
quiere aumentar mi cansancio.

A lo largo de la semana, Samuel y Nancy aprovecharon toda oportunidad que se les presentó para llamar la atención sobre el respeto que se tienen mutuamente: — Gracias por traerme la frazada — le dijo, por ejemplo, Nancy a Samuel —. Comprendiste que tenía frío y que la necesitaba.

Estos comentarios de Nancy y Samuel frente a sus hijos ayudaron a Jorge y Alicia a relacionar con ejemplos de la vida real el comportamiento que sus padres querían que aprendieran.

Establezca un plan disciplinario positivo. Los padres que consideran que la disciplina es un proceso educativo les enseñan a sus hijos el comportamiento apropiado utilizando reprimendas justas, consecuentes y no violentas ante el comportamiento inapropiado. Esta técnica utiliza la empatía, la comprensión y el cariño como bases para su éxito y debe emplearse aun cuando los niños apliquen formas crueles e inusitadas de castigo a los amigos y a sus propios familiares.

ADVERTENCIA: EVITE REACCIONAR EXAGERADAMENTE.

Cuando las actitudes desagradables de sus hijos salgan a flote, no diga: "¡Cómo te atreves a decirle cosas así a tu hermana! Estás castigado por un mes". Una reacción excesiva de usted, como la de este ejemplo, denota una pérdida de afecto y apoyo, y aumenta la ira y la agresividad del niño. Esta clase de reacción exagerada no sólo no enseña nada sobre empatía, sino que produce una reacción desafiante

por parte del niño, que lo puede llevar a rechazar la
meta de la empatía.

Momento educativo

— Siento mucho que hayan decidido reñir en lugar
de llevarse bien — les dijo Nancy a Jorge y Alicia, que
habían estado peleando toda la mañana.

— Pero ella fue quien empezó... — estaba explicando Jorge, cuando Nancy lo interrumpió, diciendo:

— No importa quién empezó. Su tarea es llevarse
bien. Ahora déjenme decirles cuáles son sus opciones: Pueden elegir llevarse bien mutuamente y tratar
de resolver las cosas entre ustedes. De esa manera, tal
vez los dos se sientan bien el uno con el otro, además
de tener la libertad de hacer lo que quieran durante
el resto del día. O pueden elegir no cooperar el uno
con el otro y trabajar para mí. Tienen que escoger
cómo quieren pasar el día.

Esta propuesta les dio a Jorge y Alicia una imagen
clara de cuál elección sería más satisfactoria, particularmente porque sabían que Nancy y Samuel los
felicitarían por llevarse bien a medida que la tarde
fuera pasando. "Muchas gracias por tratarse bien
entre sí", les dijo Nancy al verlos jugando juntos.
"Qué bueno que se entiendan", les dijo Samuel mientras jugaban en forma independiente en el mismo
cuarto. Recibir atención positiva por parte de aquellos cuya opinión más valoraban ayudó a Jorge y Alicia
a reforzar su decisión de jugar juntos en armonía.

Por haber tenido que soportar las consecuencias
de sus acciones cuando reñían, los niños aprendieron que los beneficios de escucharse el uno al otro,

cooperar y comprenderse mutuamente eran superiores a los costos de comportarse en forma egoísta.

Use frases con sujeto yo. Las frases con sujeto yo son aquellas que le dicen a "usted" lo que "yo" siento. Cuando usted utiliza el sujeto yo, evita acusar y culpar a alguien, y puede expresar sus sentimientos francamente. Para usar con eficacia estas frases, decida primero cuál desea usted que sea su posición. Después exprese esa posición evitando decir "tú hiciste...", lo cual acusa al otro de obrar mal. Cuando sus hijos muestren falta de empatía, use frases con sujeto yo como una forma de presentar el problema. Hacerlo así le ayudará a aclarar el ambiente durante los enfrentamientos, sin provocar heridas sentimentales ni reacciones defensivas.

ADVERTENCIA: EVITE TOMAR PARTIDO EN LAS DISPUTAS.

NO DIGA: "Creo, Jorge, que tú empezaste la pelea. ¡Vete ya para tu cuarto!" Cuando los niños, especialmente los hermanos, están en conflicto, tomar partido o tratar de ir al fondo del problema puede aumentar la rivalidad. Más bien, ayúdelos a entender que los dos están contribuyendo al conflicto con su actitud, los sentimientos de cada uno respecto al conflicto y cómo buscar soluciones a los problemas, lo cual resolverá esta disputa al igual que futuros conflictos.

DIGA: "¿Cuál es el problema? ¿Qué se puede hacer cuando eso ocurre? ¿Qué esperarían ustedes que ocurriera si ustedes hicieran eso? Ensayemos la solución que escogieron, para ver si da resultado".

Momento educativo

— Me siento mal a causa de las peleas entre ustedes dos. Cuando oigo las discusiones, me preocupa que ustedes dos no se traten amablemente — dijo Samuel. Al usar frases con sujeto yo, Samuel estaba señalando el impacto que el conflicto de los niños estaba teniendo sobre él, un paso importante en la enseñanza de la empatía.

Nancy también utilizó frases con sujeto yo para mostrarles a sus hijos cómo se sentía con respecto a su comportamiento: — Sentí que a nadie le importaba el estado de nuestra casa cuando vi el desorden que dejaron en la cocina — dijo ella —. Tal vez esperaba demasiado.

Cuanto más comprendieran los niños Guzmán el impacto que su comportamiento tenía sobre sus padres, más probabilidades había de que se colocaran en la posición de éstos. Cuando así lo hicieran, también se darían cuenta de que perturbar a sus padres los perturbaba a ellos también, y ambas cosas debían evitarse.

Enseñe a los niños a darse cuenta del impacto de su comportamiento. ¡Hable! ¡Hable! ¡Hable! Cuando sus hijos crucen la línea hacia el "comportamiento prohibido", no se ponga a adivinar si ellos se dan cuenta de sus acciones o de su lenguaje desconsiderados. Exponga el problema y sus consecuencias y luego abandone el tema. Su objetivo es ayudar a sus hijos a entender las implicaciones de su comportamiento mientras está fresco en sus mentes.

ADVERTENCIA: EVITE EL EMPLEO DEL CASTIGO FÍSICO.

NO DIGA: "Lo que dijiste es tan infame, que debería darte un bofetón para que sepas cómo se siente tu hermana". Abofetear o golpear a los niños , o incluso amenazarlos con hacerlo, es doloroso e improductivo por muchas razones, entre ellas el hecho de que reduce el deseo del niño de acatar las reglas autoritarias violentas. Además, si se emplea frecuente e inconsecuentemente, el castigo físico produce altos grados de agresión y hostilidad. Los niños agresivos que son castigados persistirán en su comportamiento inapropiado, e incluso lo acentuarán y se volverán cada vez menos sensibles a la desaprobación social. En resumen, el castigo físico sólo induce a la ira y al deseo de venganza.

Momento educativo

— ¡Mira lo que has hecho! Has herido los sentimientos de Alicia con lo que dijiste. Confío en que no querías realmente hacer eso — le dijo Nancy a Jorge después de uno de los más hirientes comentarios de éste. Aunque sabía que lo que había dicho podría producirle a Jorge un sentimiento de culpa, ése era exactamente su propósito. Nancy comprendía que el sentimiento de culpa puede ayudar a dominar el egoísmo natural de los niños pequeños, y reemplazarlo por un sentido de empatía y un deseo de ayudar a la víctima.

Crear un sentimiento de culpa es diferente de avergonzar a la persona o de difamarla, porque se centra en el comportamiento causante del problema y no en la persona. Cuando se dice como reprimenda:

"Lo que le dijiste a tu hermana fue algo inapropiado", se le señala a Jorge un error en su comportamiento sin decirle que él es una mala persona. En este caso, Nancy planteó el objetivo de no herir a Alicia, ni a ninguna otra persona, como un hecho comprendido y aceptado por su hijo, un objetivo que ella confiaba que su hijo podría alcanzar con sólo saber el efecto de su comportamiento. Sus palabras tuvieron carácter de información, no de insulto.

Emplee el intercambio de papeles como una manera de enseñar empatía. ¿Recuerda el viejo dicho "no quisiera estar en sus zapatos"? Trate de poner a sus hijos en los zapatos del otro, literalmente, si es posible. Después pídales que piensen sobre los sentimientos y emociones de su hermana, hermano, mamá o papá. Cuando los niños, incluso mentalmente, experimentan el dolor, los temores, las alegrías o los desafíos que los demás están viviendo, tienen más probabilidad de sentir empatía hacia ellos. Cuando se digan palabras ofensivas, inmediatamente recurra al intercambio de papeles y convierta al villano en víctima por unos minutos.

Momento educativo

Al oír que Jorge estaba ofendiendo nuevamente a su hermana, Samuel dijo:

— Puesto que te gusta llamar así a Alicia, sería bueno para ti experimentar lo que ella siente. Quiero que supongas por un minuto que eres Alicia y que te han tratado de la misma manera como tú la trataste. Ahora dime cómo te sientes.

Después de unos momentos de reflexión, Jorge contestó:

— No creo que me guste mucho.

Al permitir que Jorge "experimentara" la violencia del trato que le había dado a su víctima, Samuel logró que su hijo sintiera lo que había sentido la receptora de su ataque; una experiencia que lo motivó a ser amable, en vez de desagradable, con su hermana, tal como él querría que ella fuera con él.

"Creo que es importante ser comprensivo con los demás y saber cómo se sienten cuando están tristes".
— NICHOLE

Establezca límites para el comportamiento. ¿Ha oído alguna vez acerca de cómo hacer a los niños una "advertencia preventiva"? La mejor manera de prevenir problemas es decir a los niños exactamente qué comportamiento se espera de ellos, porque entonces todos tienen la misma oportunidad de cumplir con esas expectativas. Estas advertencias también ayudan a que los niños se sientan seguros, porque conocen las reglas. Una sencilla recomendación: Los niños que entienden las normas tienen menos probabilidades de cometer errores al tratar de cumplirlas.

Momento educativo

Un día en que Jorge llevó un amigo a casa a jugar, Nancy los oyó atacar verbalmente a Alicia.

— Insultar a las personas es impropio y no será tolerado en esta casa — les dijo —. No quiero que lo hagan, sea que piensen o no que la persona se lo merece. Si tienen un problema con alguien, puedo ayudarlos a arreglarlo. Si ustedes prefieren no hacerlo, les exigiré que recuperen ese tiempo perdido haciendo un trabajo productivo que les asignaré. Por lo tanto, deben decidir si quieren tener la libertad de hacer lo que quieran o invertir su valioso tiempo trabajando en algo que yo quiera.

Establecer anticipadamente las consecuencias de la violación de reglas permite a los niños prever lo que ocurrirá si quebrantan una. Sin embargo, no siempre es posible saber cuándo se necesitará una regla. Decirles a los niños lo que sucederá, incluso después de ocurrido el hecho, les permitirá tomar decisiones sobre su comportamiento la próxima vez que tiendan a no demostrar empatía.

Supervise y sirva de mediador cuando los niños estén mirando televisión o recibiendo otras influencias sociales. Usted puede medir el grado de comprensión de sus hijos ante las cosas que ven u oyen, preguntándoles sobre sus reacciones personales mientras miran juntos un programa de televisión. Según sus respuestas, usted puede decidir qué tanto comprenden y los afecta el comportamiento que están presenciando.

Momento educativo

Mientras miraban un programa que sus dos hijos consideraban estupendo, Nancy decidió hacer estas preguntas reflexivas (durante los anuncios publicitarios, claro está), porque ellas les permitían a sus hijos pensar acerca de los efectos de su comportamiento sobre los demás y les ayudaban a cultivar sentimientos de empatía:

— ¿Qué sienten cuando oyen a la gente ofender a otros? ¿Qué piensan sobre lo que pasó en el programa? ¿Qué creen que pensarían sus amigos sobre esto? ¿Pueden imaginar cómo sería recibido un comportamiento de esa naturaleza en la escuela, o en la calle, si sus padres o profesores actuaran de esa manera? ¿Qué efectos creen que tendría ese comportamiento sobre los sentimientos de los demás?

Cuando se terminó el programa, añadió: — Realmente siento pena por una persona cuando veo que se burlan de ella en los programas. Nadie en mi oficina les habla a los demás de la manera como hablan en la televisión. Si lo hicieran, probablemente los despedirían. Simplemente pienso que es grosero.

En la conversación que siguió a esto, tanto Jorge como Alicia demostraron su comprensión de los sentimientos de los demás, al relatar situaciones de la escuela en las cuales habían sido testigos de la humillación de algunos compañeros de clase por parte de otros. Nancy se alegró de que entendieran los efectos nocivos que, al parecer, estaba teniendo la televisión sobre algunos de sus compañeros de clase, y pudo percibir el ejercicio mental de sus hijos al darse cuenta de que estaban asombrados ante la semejanza de las actitudes denigrantes de la televisión con las de su mundo real.

Supervise y sirva de mediador en las actividades recreativas. Cuando los niños juegan solos, usted no puede aprovechar la oportunidad de enseñarles comportamientos que conduzcan a la empatía. Por lo tanto, trate de estar cerca de las actividades recreativas de sus hijos más jóvenes para intervenir, cuando sea necesario, y reforzar las reglas familiares. Al hacerlo, usted puede ayudar a mantener los aspectos positivos de las actividades recreativas de sus hijos, y evitar al mismo tiempo los aspectos negativos.

Momento educativo

Cuando Nancy veía que sus hijos se estaban llevando bien con otros niños y mutuamente, les decía: — Ustedes dos se están llevando muy bien. ¿No es maravilloso que puedan estar juntos sin reñir?

Si sus hijos no se estaban entendiendo, Nancy trataba de intervenir para buscar la solución del problema: — ¿Cuál es el problema? ¿Qué soluciones tienen ustedes cuando se presenta un problema como éste? —, les preguntaba.

Cuando los niños presentaban las soluciones, ella les decía: — Si ustedes escogen esa solución, ¿qué cosas buenas pueden esperar que sucedan? ¿Qué cosas malas pueden ocurrir? ¿Herirán los sentimientos de alguien? Entonces, cuando hayan pensado sobre lo bueno y lo malo que puede ocurrir al escoger una solución en particular, ¿les gustaría ensayarla para ver si funciona?

Esta forma de buscar soluciones a los problemas no sólo enseña a resolver conflictos, sino también permite adquirir seguridad y confianza en uno mismo al actuar recíprocamente con otros, porque los niños sabrán cómo darle prioridad a llevarse bien con los demás.

Préstele atención positiva al buen comportamiento. Cuando los niños reciben atención positiva (abrazos, palmaditas en la espalda, elogios, etc.) por buen comportamiento, es más probable que repitan ese comportamiento. Los niños prosperan gracias a la atención positiva, porque ésta les ayuda a sentirse seguros y amados por quienes ellos consideran que son las personas más importantes en su vida.

ADVERTENCIA: EVITE AVERGONZAR A SU HIJO.

NO DIGA: "¡Lo que le dijiste a Alicia fue horrible! ¡Deberías estar avergonzado de ti mismo! ¡Eres una persona muy mala e insoportable! Es un milagro que alguien quiera estar contigo y ser tu amigo". Inducir a experimentar un sentimiento de culpa, como en el ejemplo citado anteriormente en el intercambio de papeles, puede ser útil para motivar a los niños a entender cómo se sienten los demás. Sin embargo, usted inclina a sus hijos a sentir vergüenza al decir: "¿No te sientes avergonzado?", o: "¡Qué vergüenza!", y esto disminuye su capacidad de sentir empatía. Tales ataques a la reputación de su hijo sólo lo alejarán y reducirán su capacidad de identificarse con un adulto que lo ama.

Momento educativo

El momento que se debe aprovechar sin esperar respuesta es éste: Samuel y Nancy exaltaron el *buen* comportamiento de sus hijos elogiando sus trabajos bien hechos y proporcionándoles tiempo y atención como recompensa.

— Hiciste un estupendo trabajo cuando aspiraste tu cuarto, Jorge — le comentó Samuel a Jorge, quien había realizado este trabajo después de haberle dicho a su hermana cosas desagradables —. Debes sentirte muy orgulloso por el esfuerzo que realizaste.

Al describir un comportamiento al mismo tiempo que se lo elogia, se establece una meta para que los niños la logren en el futuro. El elogio da mejores resultados cuando se aplica específicamente al comportamiento ("¡Qué bueno es llevarse bien!") y es menos eficaz cuando describe al niño ("¡Buen muchacho!") o no describe específicamente el comportamiento ("¡Buen trabajo!").

Recuérdeles las reglas. Antes de dejar solos a los niños — incluso por algunos minutos mientras prepara la comida en el cuarto contiguo —, dígales cuáles son las reglas; eso refuerza los valores que usted quiere afianzar en su carácter.

Momento educativo

Samuel y Nancy dieron muestras de confianza al esperar de sus hijos comportamientos amables, y fueron consecuentes al imponer la regla que establece que las actividades recreativas conjuntas necesitan contar con la cooperación. Cuando se presentaban desacuerdos, ellos decían: "Recuerden que necesitan llevarse bien, compartir los juguetes y avisarnos si se presenta algún problema que no puedan resolver. Estamos seguros de que se tratarán amablemente mientras juegan".

"Sólo cuando se empieza a tener el sentido del dolor de los demás, comienza el hombre".
— EVGUENI YEVTUSHENKO

2

Ser servicial

"Una de las más bellas compensaciones de la vida es que ningún hombre puede tratar sinceramente de ayudar a otro sin ayudarse a sí mismo".
— Ralph Waldo Emerson

servicial. *adj.* Muy dispuesto a ayudar, hacer un favor o prestar voluntariamente un servicio de cualquier clase a otra persona.

- "Permíteme ayudarte. Yo abriré la puerta".
- "Me parece que necesitas un poco de ayuda".
- "Dejaré mi ropa limpia en las escaleras y la subiré a mi cuarto más tarde".

"Help! I need somebody!", (¡Socorro! ¡Necesito a alguien!), suplicaban los Beatles en una de sus canciones más populares de los años sesenta. "¡Socorro!" es un grito de batalla que, en cualquier lengua, señala el importante papel que desempeña la gente al rescatar a otros del peligro o el dolor. Cuando se presta ayuda, surge un sentimiento de satisfacción por hacer algo que puede mejorar la vida de alguien. Debido a que ser útil es en sí una recompensa, cuando los niños aprenden a ayudar a otros sin egoísmo experimentan los buenos sentimientos que provienen de concentrarse en lo que otros necesitan, en vez de pensar *sólo* en lo que *ellos* quieren. Más aún: adquieren la capacidad de colocarse en la situación de otra persona, para ver cómo ven los otros el mundo. Sólo entonces pueden los niños aprender a vivir cooperando unos con otros armónicamente. Tal como enseñan muchos cuentos infantiles, cuando alguien ofrece ayudar, todo parece posible.

¿A QUÉ NOS REFERIMOS CUANDO HABLAMOS DE SER SERVICIAL?

- Ser servicial significa dar sin pedir nada a cambio.
- Para poder entender la necesidad de ayudar, un niño debe aprender a demostrar empatía: ser capaz de colocarse en la situación de otra persona.
- Para hacer un favor, un niño debe interesarse por la persona a quien está ayudando. El deseo de ser servicial surge del deseo de agradar.
- Las personas capaces de prestar ayuda ven más allá de sus propias necesidades y piensan en las de los demás, actuando, por ende, sobre la base de la preocupación por los demás y de la cooperación.
- Ser servicial significa que un niño comprende realmente que las necesidades de los demás deben ser tenidas en cuenta tanto como las propias.

"Mis profesores me dicen que ser servicial es muy importante,
al igual que ser amable con los alumnos nuevos
o ayudar a los más jóvenes a encontrar el camino
hacia su nuevo salón de clase".
— JOYCE

CONOZCA A LA FAMILIA GÓMEZ

Ana, una niña de seis años, y Jaime, su hermano de ocho años, parecían no pensar sino en ellos mismos y actuaban como si poco les importara lo que necesitaban otros miembros de la familia. Podían pasar frente a su ropa limpia durante varios días, sin que parecieran notar que era necesario llevarla a sus cuartos. Sus padres, Julio y Lucía, podían quebrarse las espaldas alzando las bolsas de víveres, pero sus hijos ni siquiera se ocupaban de mantener la puerta abierta. Estaban tan embebidos en sus propias vidas, que a menudo no se daban cuenta de que había otras personas en el mundo.

HERRAMIENTAS DE ENSEÑANZA

Asigne a los niños tareas permanentes. Los niños a quienes se asignan tareas permanentes empiezan a apreciar el esfuerzo requerido para cuidar su hogar, sus pertenencias, su "espacio" familiar, al igual que a sí mismos. Sólo entonces pueden aprender acerca de la necesidad de ayudar a los demás. Hay tres clases de tareas que deben realizarse en una familia: tareas de autoayuda, que mantienen al niño limpio y presentable; tareas familiares, que mantienen el orden y

la paz en el hogar, y tareas "extras" difíciles, que se realizan
para ganar dinero.

ADVERTENCIA: EVITE CASTIGAR A LOS NIÑOS CUANDO
HAYAN DESCUIDADO LAS TAREAS.

El castigo conduce a la ira y al resentimiento y disminuye el deseo de ayudar. En lugar de castigar a los
niños, permita que las consecuencias naturales — no
poder realizar algunas actividades divertidas — les
enseñen.

Momento educativo

Para iniciar su educación sobre cómo ser serviciales, los
Gómez le dieron a cada uno de sus hijos una lista de
tareas que tenían que hacer diariamente para cuidarse a
sí mismos... Cosas sencillas, tales como poner su ropa
sucia en la canasta, hacer su cama, colgar su toalla
después del baño y ordenar su cuarto. Después de
presentarles esta lista, lo difícil era ser firme y exigir el
cumplimiento de la regla. Naturalmente, los niños
opusieron resistencia ante las labores asignadas.

— Déjenme explicarles el trato. Cuando sus labores estén terminadas, pueden hacer lo que
quieran —, les dijo Lucía. Esta regla fue la base del
contrato que los padres de Ana y Jaime acordaron
con sus hijos.

Cada mañana, por ejemplo, a Ana no había que
recordarle que tenía que hacer su cama, pues ella
sabía que tenía que hacerlo para poder salir a jugar
con sus amigos.

*"Aprendí mucho acerca de ser servicial. Ésa era una
de las prioridades de mi madre. Ella me enseñó
a hacer cosas sin que me pidieran que las hiciera".*
— CARA BETH

Sírvase de una lista para recordarles a los niños sus labores.
Hay dos formas de manejar a la gente: se la puede dirigir
para que haga cosas cuando sea necesario, o se le pueden dar
objetivos y permitir que decida cuándo y cómo hacer lo que
se requiere. Dar una lista a los niños (se pueden utilizar
dibujos para los niños que todavía no saben leer) les permite
trabajar en forma independiente durante todo un día, sin
que se requiera recordarles o dirigirles lo que deben hacer.

ADVERTENCIA: EVITE ACOSAR A LOS NIÑOS PARA QUE
HAGAN LAS LABORES ASIGNADAS.

> Los niños no aprenden a ser independientes y a
> cuidarse a sí mismos cuando se les vive recordando e
> insistiendo en lo que deben hacer; sólo aprenden a
> esperar a que se les diga qué hacer. Cuando se utilizan
> listas y se da retroalimentación positiva por la reali-
> zación de las labores, los niños aprenden a ayudar y
> a hacerlo en forma independiente.

Momento educativo

Al recibir una lista, los niños Gómez pudieron hacer
lo que se requería, sin la dirección de sus padres.
Lucía presentó el plan una mañana en que iban a
estar todos en casa hasta la tarde: — Aquí está tu
lista con tus labores, — dijo —. A medida que vayas

terminándolas, vas tachándolas. Cuando la lista diga 'Revisión', vienes y yo revisaré si las has hecho bien. Entonces podrás jugar.

Al invocar la "regla de la abuela" (cuando hayas hecho lo que tengas que hacer, podrás hacer lo que te plazca) y utilizar una lista para organizar las labores, Julio y Lucía descubrieron que los niños no sólo recordaban qué era necesario hacer (un problema difícil que se presenta con los niños que no tienen tareas asignadas diariamente), sino que, además, estaban mejor dispuestos a hacerlo.

Compruebe el desempeño y dé la retroalimentación apropiada. Cuando esté revisando la ejecución de las tareas, es importante señalar lo que ha sido hecho correctamente, antes de decir a los niños lo que se requiere hacer para corregir los errores.

ADVERTENCIA: EVITE RECORDARLES QUE ES NECESARIO HACER LAS TAREAS.

Recordar a los niños sus labores simplemente los vuelve dependientes y los salva de las consecuencias de sus olvidos. Si los deja sufrir la consecuencia: no poder hacer lo que quieren hacer, tendrán probablemente más cuidado con las tareas que tienen que cumplir.

Momento educativo

Al elogiar las cosas que hacían debidamente, los Gómez hacían que sus hijos supieran que sus esfuerzos eran apreciados. Por ejemplo, cuando Lucía vio lo bien ordenados que estaban los cuartos de Ana y Jaime, dijo: "Realmente ordenaron muy bien sus cuartos esta mañana. Miren qué bien guardaron la ropa en los cajones y limpiaron sus escritorios. Ahora, cuando retiren las cosas que están debajo de la cama y las coloquen en el armario, que es donde deben estar, los cuartos se verán estupendos". Gracias a que podían ver los progresos realizados, Ana y Jaime estaban mejor dispuestos a terminar de hacer lo que faltaba.

Lucía sabía que, al describir el comportamiento de sus hijos al mismo tiempo que lo elogiaba, recordarían cuáles eran las expectativas de la madre y estarían mejor dispuestos a ponerse a la altura de ellas.

Elogie los comportamientos que muestren el deseo de ayudar. ¿Usted quiere que sus hijos se comporten de manera servicial? Señale dicho comportamiento cuando ocurra. ¡No lo deje pasar inadvertido, precisamente porque le pareció *bien*! Si usted elogia esos detalles y se refiere a lo que está ocurriendo, sus niños se sentirán orgullosos de tal comportamiento, incluso aunque no le dejen saber a usted cuán contentos se sienten.

ADVERTENCIA: EVITE ELOGIAR AL NIÑO.

Elogie el comportamiento y no al niño, para ayudarle a aprender que el comportamiento es lo importante y no el ser un niño bueno o malo.

Momento educativo

Lucía había estado regañando a Jaime por el desorden en su cuarto, los juguetes tirados por todas partes, la ropa sucia en el piso del baño, y muchos otros hábitos que la molestaban. Le había pedido que hiciera unas labores, pero muy a menudo no las hacía. Asombrosamente, un día Lucía llevó u a canasta de ropa limpia a la cocina y luego se apresuró a ir a la sala para alcanzar a ver el noticiero de la mañana. Cuando regresó a doblar la ropa, allí estaba Jaime, dedicado a doblarla y apilarla sobre la repisa.

Con gran entusiasmo, exclamó Lucía: — ¡Mil gracias por ayudarme a doblar la ropa! ¡No sé qué haría sin tu ayuda!

En verdad, Jaime parecía tan complacido como lo estaba ella. Durante todo el día, ayudó en cuanto pudo, y su esfuerzo fue elogiado. En cierta manera, todo lo que ocurrió ese día le pareció a Lucía más amable después de haber visto la disposición de su hijo a ayudar. A partir de ese momento se convirtió en firme creyente del viejo adagio: "Se pueden cazar más moscas con miel que con vinagre".

Dé ejemplo de modales atentos. Los niños que ven a sus padres sostener la puerta abierta para que otros entren, dejar pasar primero a los demás y ofrecer ayuda, ven modelos de los comportamientos que sus padres quieren que ellos imiten. Si esos comportamientos se refuerzan con sonrisas, lenguaje corporal positivo y elogios, los niños aprenden su valor, al igual que la manera como se deben llevar a cabo.

*"Mis padres me enseñaron a mantener la puerta abierta
para las personas que no pueden abrirla ellas mismas,
porque es un acto que denota amabilidad y educación".*
— NICHOLE

Momento educativo

— Gracias por abrirme la puerta. Es muy amable de tu parte — le dijo Lucía a Julio cuando estaban en el centro comercial. Aunque estaba empleando el mismo tipo de elogio que usaba con sus hijos, quería proporcionarles un modelo al elogiar a su esposo.

— Siempre a tus órdenes — respondió Julio, también exagerando un poco.

Más tarde, cuando iban a entrar en otro almacén, Jaime se adelantó y mantuvo la puerta abierta para sus padres y su hermana.

— Jaime, ¡qué atención de tu parte! Cómo eres de deferente — comentaron sus padres.

Al oír los elogios de sus buenos modales y su atención, Ana y Jaime aprendieron a pensar sobre esos comportamientos, los cuales, con el tiempo, formaron parte de su repertorio.

Fomente los actos humanitarios y de caridad. Para enseñarles a sus hijos el valor de ayudar a los demás, haga que su familia participe en eventos humanitarios y de servicio social, como un medio para beneficiar a la comunidad en general.

Momento educativo

Tanto Julio como Lucía se sintieron emocionados cuando participaron una tarde en un evento destinado a repartir alimentos a la gente necesitada.

— Pero yo quería jugar con mis amigos — se quejó Jaime.

— Sí, ya sé que querías jugar con tus amigos, pero esto es importante — le contestó Lucía.

— Sí, Jaime — prosiguió Julio —, ayudar a los demás es un trabajo muy importante. Nos da la oportunidad de colaborar con nuestra ciudad y con aquella gente que no tiene tanto como nosotros.

— Pero yo no quiero ir — se lamentó Jaime.

— Pues bien, ya hemos adquirido el compromiso, y *todos* iremos — dijo Lucía firmemente.

Esa tarde, llegaron al sitio de reunión y empezaron a cargar las bolsas de alimentos. Jaime estaba malhumorado y no quería ayudar. Sus padres elogiaron a su alegre y emprendedora hermana, por sus esfuerzos y su espíritu jovial.

— Gracias por toda tu ayuda, Ana — dijo Julio, mientras llevaba una pequeña bolsa de alimentos al automóvil —. Estoy seguro de que la gente que reciba esta comida apreciará tus esfuerzos.

Pasado un rato, Jaime empezó a cargar cosas y él también recibió elogios. — Sé que no querías venir hoy, pero estás demostrando tu buen carácter y nos estás ayudando — le dijo Lucía —. Estoy segura de que te sentirás mejor cuando veas cuán útil es tu trabajo para muchas personas.

Cuando finalizó el día, los niños estaban silenciosos pero parecían satisfechos.

— ¿Recuerdan ese niño que vimos? — preguntó Jaime —. ¡Estaba tan contento cuando vio la mermelada dentro de la bolsa! Dijo que hacía mucho, mucho tiempo que no la comía. Yo no puedo siquiera imaginar cómo sería vivir sin mermelada; ¿puedes tú?

— No — repuso Ana —. No puedo imaginarme qué haríamos sin mermelada. Nunca antes había pensado que alguien pudiera no tenerla.

"La pregunta más persistente y urgente que hay que hacer es: ¿Qué está usted haciendo por los demás?"
— MARTIN LUTHER KING, JR.

3

JUSTICIA

*"Nuestras obras nos determinan, en la misma
medida en que nosotros determinamos nuestras obras".*
— GEORGE ELIOT

justicia. *f.* Virtud que inclina a dar a cada uno lo que le
pertenece. **4.** Derecho, razón, equidad. **6.** Lo que debe
hacerse según derecho o razón.

○ "No sería justo que yo me comiera la última tajada de
torta. La dividiré para que la compartamos".

○ "Debemos jugar el juego de acuerdo con las reglas. No es
justo estar cambiándolas".

○ "No es correcto que me ayudes en esta tarea escolar.
Nuestro profesor quiere que hagamos el trabajo nosotros mismos".

○ "Si procuramos hacer las cosas equitativamente, no
tendremos que pelearnos porque no sean justas".

¿Puede la vida ser realmente justa? No en el antiguo sentido de la palabra, cuando *justicia* quería decir 'igualdad'. Los padres actuales saben que "ser justo" ha adquirido un nuevo significado, mejorado, especialmente en lo que se refiere a la crianza de los hijos. Ser justo con los hijos no significa tratarlos a todos "igual", porque la justicia está realmente en los ojos (y en la mente) de quien la observa. Si la justicia sólo lo beneficia a uno mismo, definición que usan la mayoría de los niños, entonces los demás pueden sufrir. Pero en el mundo del carácter y la bondad, una persona "justa" es aquella que puede llevarse bien con los demás porque está interesada en que a *todos* se les dé un trato "justo". El adagio "Ninguno de nosotros por separado es tan inteligente como todos juntos" dice la verdad: todos ganamos cuando cada uno siente que ha contribuido y se ha beneficiado por igual.

¿A qué nos referimos cuando hablamos de ser justo?

o Justicia significa ir más allá de la letra de los acuerdos y las reglas para considerar qué es lo mejor para todos.

o Para ser justos, los niños deben creer que las necesidades o deseos de los demás deben ser tenidos en cuenta al mismo tiempo con los suyos.

o Para tener deseos de cooperar, los niños deben ser capaces de ponerse en el lugar de los demás y buscar "acuerdos", de manera que todos sientan que han sido oídos y han tenido las mismas oportunidades.

o Para ser justos, a los niños debe importarles el bienestar de los demás y deben superar su tendencia al egoísmo.

CONOZCA A LA FAMILIA RODRÍGUEZ

José Rodríguez, de siete años, y su hermano Jeremías, de cinco, rara vez se preocupaban por el bienestar del otro. Cuando uno de ellos acusaba al otro de "no estar siendo justo", a menudo la respuesta era: "Es justo para mí".

¿Dónde estaba la voz de la cooperación? Sus padres, Juan y Diana, comprendían la necesidad de hacer que esa voz fuera oída, de manera que sus hijos pudieran aprender cómo entablar amistades gratificadoras y relaciones amigables con sus profesores, su familia y sus compañeros. Los Rodríguez sabían que tenían que enseñarles a José y a Jeremías no sólo cómo tratar de hacer del mundo un lugar más equitativo para todos, sino también a aceptar el hecho de que lo que ellos consideraban justo para ellos podía no ser justo para otros.

HERRAMIENTAS DE ENSEÑANZA

Dé ejemplo de justicia. Para que sus hijos entiendan mejor el concepto de justicia, es vital que usted observe su propio comportamiento y trate de ser lo más equitativo posible con sus amigos, sus vecinos, su familia e incluso con los extraños, tales como los vendedores de los almacenes y los que están haciendo cola junto con usted. Al pensar en el bienestar de los demás y mantener en la mente el bien de todos, usted generalmente tendrá comportamientos que podrán ser considerados justos. Señale, entonces, el modelo apropiado de comportamiento cuando sea el caso, de manera que sus hijos puedan ver cómo luchar por la justicia ayuda a que todos se beneficien.

Advertencia: Evite sopesar y medir todo para asegurar la justicia.

Muchos padres se esfuerzan tanto para que las cosas sean justas, que acaban creando más problemas de los que resuelven. Si la justicia absoluta es la meta, los niños no aprenderán a aceptar situaciones en las cuales no puede haber equidad. Recuerde que "justicia" no significa "igualdad"; significa cooperar para satisfacer las necesidades de ambas partes, y entender esto como una meta en las relaciones, teniendo en cuenta que las necesidades y los deseos de unas personas pueden estar en conflicto con los de otras. Es más: algunas veces la justicia de Juan puede consistir en que tiene tal empatía con Diana, que él comprende que es mejor que sean los deseos *de ella* los que se cumplan en vez de los suyos.

Momento educativo

Juan entró en la cocina cuando José y Jeremías estaban repartiendo el cereal del desayuno de manera que cada cual pudiera obtener "una porción justa".

— Papá, estamos preparando nuestro desayuno — dijo José cuando lo vio —. ¿Quieres tostadas? Puedes comerte ésta. Es la última, pero podemos preparar más.

Juan casi se desmaya de asombro. Qué agradable sentimiento experimentó al ver que sus hijos estaban aprendiendo a ser equitativos. Rápidamente se recuperó de su euforia, pues comprendió que era el momento de hacer un elogio.

— Gracias por darme esta última tostada. Fue muy amable de tu parte pensar en mí — respondió sonriendo —. También vi cómo estaban repartiendo el cereal para que cada uno pudiera tener una porción — añadió —. Estuvo muy bien de parte de ambos el pensar en el otro para que las cosas fueran equitativas.

Juan y Diana no sólo señalaban la justicia cuando veían que sus hijos la practicaban sino, además, aprovechaban todas las oportunidades para practicarla ellos mismos.

— Gracias por ayudarme a limpiar la cocina — le dijo Diana a Juan, cuando se sentaron con sus hijos después de cenar.

— Es apenas justo que yo ayude. Al fin y al cabo, ambos trabajamos fuera del hogar y, por lo tanto, pienso que es justo que también ambos trabajemos en la casa — repuso Juan, sintiéndose bien por el hecho de compartir las labores domésticas con su esposa, y de ayudar a José y a Jeremías a aprender que la justicia permite que la vida de cada uno sea más amable.

Dé ejemplo de generosidad. Para incrementar su sentido de la justicia, los niños deben superar su tendencia al egoísmo y su inclinación a pensar sólo en sus necesidades. Para ayudarlos a entender la importancia de pensar en los demás en vez de pensar sólo en sí mismos, dé ejemplo de generosidad a sus hijos buscando diligentemente superar su propio comportamiento egocéntrico y cambiarlo por uno que refleje su preocupación por el del bienestar de los demás.

Momento educativo

Diana estaba cansada. Había trabajado todo el día y sólo deseaba algo de paz y quietud, pero sabía que sus hijos requerían su atención. La aterraba tener que sentarse con ellos y escucharlos contar su día en la escuela, porque estaba demasiado cansada, pero sabía que eso era importante para ellos.

Para su pesar, oyó salir estas palabras de su boca:

— Estoy cansada. ¡Busquen algo que hacer!

Cuando vio la mirada de sus hijos, comprendió que tendría que superar su egoísmo preservando su tiempo y su energía para darles a sus hijos lo que necesitaban.

— Lo siento. Estaba pensando sólo en mis necesidades y olvidando lo que es mejor para ustedes. Cuéntenme ahora: ¿qué cosas buenas ocurrieron hoy? — les preguntó.

Mientras los niños, emocionados, le contaban su día, Diana se sintió orgullosa de sí misma por dedicarles tiempo. Al fin y al cabo, pensó, no van a estar para siempre conmigo. Sabía que era más importante prestarles atención que empezar a preparar la cena. Ya se las arreglarían para cenar juntos, se dijo a sí misma, pero nadie podía hacer este "trabajo de escuchar" mejor que ella.

"Creo que aprendí a ser justa cuando estaba en primero de primaria. Una niña se me adelantó en la fila y la pellizqué. Al día siguiente, mis padres la invitaron a jugar a mi casa. Dijeron que yo tenía que aprender a dar un trato justo a los demás".

— MEGAN

Estimule la generosidad. Para ayudar a los niños a entender el significado de la justicia, es importante alentarlos a dar a quienes son menos afortunados. El espíritu de generosidad entraña equidad y altruismo, como también empatía hacia los demás. Convierta las tradicionales fiestas de Navidad, y otros días especiales, en días diferentes, días en que ellos *den* en vez de ser días en que *reciben*. En estas fechas, consagre voluntariamente su tiempo y energía a organizaciones de caridad que ayudan directamente a la gente. Además, pídales a sus hijos que regalen una de sus posesiones a una institución de caridad en cada uno de sus cumpleaños, para que alguien menos afortunado pueda tener también un cumpleaños feliz. Sus hijos serán recompensados — en su interior — por ayudar a que alguien se sienta bien.

Momento educativo

— Pero ¿por qué debo desprenderme de uno de mis juguetes en mi cumpleaños? — se lamentó Jeremías cuando le estaban explicando lo que debía hacer en su próximo cumpleaños (el sexto).

— Debes darles algo a los que tienen pocos juguetes, porque tú tienes muchos. Es apenas justo que compartamos con los demás lo que tenemos — le respondió Juan pacientemente.

— ¿Recuerdas a los niños que conociste en el albergue para huérfanos hace dos semanas? — preguntó Diana. Cuando Jeremías asintió, ella prosiguió —: Pues bien, esos son niños que no tienen juguetes. Tampoco tienen casa en donde vivir. Les llevaremos el juguete que decidas regalar, y los encargados del albergue escogerán a un niño que necesite un juguete y se lo darán.

— Como ellos no tienen un hogar, podrían venir aquí a vivir con nosotros. Tenemos mucho espacio — dijo Jeremías, que ahora se había entregado enteramente al espíritu de generosidad.

— Para eso está el albergue, mi amor — replicó Diana, sonriendo —. Ése es su hogar ahora, hasta que encuentren un hogar propio. ¿Qué juguete crees que les darás?

— Todavía no lo sé — respondió Jeremías, pensativo —. Tendré que pensarlo por un tiempo. Pensaré en alguno de los niños del albergue. Eso me ayudará a decidir.

Los Rodríguez se sintieron complacidos de que Jeremías pudiera entender la sabiduría de ayudar a los demás para que el mundo pueda volverse más justo. Y en su cumpleaños lo congratularon diciéndole: "¡Feliz cumpleaños! Esperamos que éste sea un día especial para ti. Estamos seguros de que algún otro niño disfrutará del juguete que escogiste regalar tanto como tú lo hiciste. Es justo que compartamos con otros lo que tenemos, para que ellos también puedan divertirse".

No fomente las quejas. Cuando los niños se quejan, sólo piensan en sí mismos y no en lo que es importante para los demás. Cuando exigen justicia a través de las quejas, también están dedicando su tiempo y energía a cosas que en general no pueden controlar. Para ayudarlos a pensar en los demás y a aceptar las cosas que no pueden cambiar, estimule a sus hijos para que centren su interés hacia el lado más positivo de la vida y, por otro lado, ponga de relieve lo que cuesta mantener una visión negativa.

ADVERTENCIA: EVITE CASTIGAR.

Cuando se castiga a los niños por su falta de equidad, tan sólo aprenden a sentir resentimiento hacia esa situación y hacia todos los implicados en ella. El castigo no enseña los comportamientos que queremos que los niños aprendan.

Momento educativo

—José no me permite mirar lo que yo quiero en la televisión — se quejó Jeremías —. No es justo. Él siempre hace lo que quiere, porque es mayor, y yo nunca puedo hacer lo que quiero.

— Pareciera que piensas que te damos un trato injusto — replicó Juan —. ¿Qué piensas que podemos hacer ante tu problema?

Jeremías presentó rápidamente su argumento central:

— Dile que me permita ver lo que yo quiero.

— Pero, si lo obligo a hacer lo que tú quieres, ¿pensará él que es justo? — objetó Juan —. Y además: ¿cuánto tiempo llevas mirando televisión hoy?

— No mucho — respondió Jeremías —. Sólo desde las seis de la mañana.

— Pero son las diez. Son cuatro horas de dibujos animados. Y te estás quejando de que nunca logras hacer lo que quieres. En vez de quejarte por lo que no tienes y exigir más, piensa en lo que sí tienes. Consigue lápiz y papel. Quiero hacer una lista.

Cuando Jeremías llevó el papel y el lápiz, empezaron a hacer una lista. — Hagamos una lista de todas las cosas buenas que han sucedido hoy.

— Pues... miré los dibujos animados — empezó a recordar Jeremías —. Y disfruté mi desayuno mientras miraba televisión en la cocina. También me comí dos platos de mi cereal favorito. Y cuando me vista, iré a jugar con mi vecino. Y... — trató de continuar, pero ya no pudo pensar en nada más.

— Entonces, Jeremías — dijo su padre —, ¿cómo te sientes ahora? ¿Todavía estás furioso porque no pudiste mirar más televisión?

— No — contestó —. Supongo que lo mejor es ir a vestirme. Quiero ir a jugar con Raúl.

— En vez de quejarte tanto, piensa en las cosas buenas que han sucedido hoy. Pero si eliges quejarte y desperdiciar tu energía de esa manera, tendrás que hacerlo solo, en tu cuarto — concluyó Juan.

— Está bien, papá — respondió Jeremías al dirigirse a su cuarto. Ya estaba concentrado en sus planes para el día. Las quejas se habían alejado de su mente.

Estimule la capacidad de resolver problemas. Los niños que aprenden a enfrentar los problemas a medida que se van presentando y tratan de encontrarles soluciones, generalmente llegan a aceptar que el mundo es un lugar justo, lo cual los hace más aptos para colaborar con los demás. Para enseñarles a resolver problemas, en primer lugar defina el problema. Una vez que lo haya definido, haga una lista del mayor número de soluciones posibles, sin tratar de evaluar cada solución. Cuando la lista de soluciones esté hecha, explore las posibles consecuencias de cada solución. Finalmente, escoja la mejor solución basándose en que con ella se obtendrá el mejor resultado posible.

Momento educativo

— No es justo que yo tenga que ayudar en los quehaceres de la casa, mientras José va a practicar baloncesto — se lamentaba Jeremías mientras se ocupaba en las labores asignadas.

— Comprendo que pienses que no es equitativo que tengas que ayudar a hacer la limpieza, mientras tu hermano va a jugar al baloncesto. Como piensas que esto es un problema, ¿qué crees que podría hacerse para que la situación sea más justa? — preguntó Diana.

— Pienso que debería tener el día libre o, tal vez, José debería hacer la limpieza el próximo sábado, mientras yo voy a casa de un amigo a jugar — respondió Jeremías.

— Bien, si te tomas el día libre, ¿qué crees que sucedería? Piensa en lo que sea mejor para todos .

— No sé — el ceño de Jeremías se frunció mientras reflexionaba —. Supongo que tú tendrías que hacer todo el trabajo. Eso tampoco sería justo. Tal vez lo mejor sería que José hiciera todo el trabajo el próximo sábado.

— ¿Qué crees que piense él a este respecto? — preguntó Diana.

— Me imagino que no le parecerá muy equitativo. Pero se debe realmente a que no hizo su trabajo hoy — respondió Jeremías —. Tal vez tendrás que hablarle a él así para que comprenda.

Diana se alegró de que su hijo hubiera podido pensar en un problema y sopesar las soluciones. La que él escogió era justa, porque respetaba el tiempo de cada cual.

Esté pendiente de ellos cuando estén mirando televisión. Los niños que miran mucha televisión piensan que deberían tener todo lo que ofrecen los anuncios publicitarios. Cuando quieren tenerlo todo, creen que no es justo no tenerlo. Se concentran sólo en ellos mismos (lo que quieren, cuándo lo quieren), sin pensar si sus peticiones son razonables. Para ayudar a los niños a aprender a aplazar la satisfacción de los deseos y a entender que la televisión les mostrará continuamente cosas que desearán pero no podrán tener, reduzca primero la cantidad de tiempo que dedican a mirar televisión, y después haga una sesión de resolución de problemas con ellos, para ayudarlos a pensar en forma positiva cómo pueden lograr tener lo que quieren.

ADVERTENCIA: EVITE SERMONEAR.

Los niños sólo aprenden a no escuchar cuando los sermoneamos. Tratar de decirles las mismas cosas de muchas maneras diferentes no les enseña los comportamientos que queremos que aprendan.

Momento educativo

— Todo el mundo tiene ese nuevo de videojuego Namuck, con gráficos estupendos, y yo sólo tengo este juego estúpido — se lamentó José mientras se sentaba frente al televisor y señalaba su ahora anticuado videojuego —. Acaban de anunciar Namuck en la televisión, y está muy en la onda. ¿Podemos conseguirlo? ¡Por favor! ¡Por favor! ¡Por favor! —rogó José.

—Lo siento, pero no puedes tener todo lo que ves en la televisión y que deseas. Sin embargo, te diré algo: tratemos de buscarle una solución a este problema —respondió Diana. Tal vez podríamos inventarnos una manera de que te ganaras el juego.

— ¡Pero yo lo quiero ahora! — gimió José.

— Pues lo siento, pero no puedes tener todo lo que quieres y en el minuto en que lo quieres. La única manera como podrás tenerlo será ganándotelo —prosiguió Diana, ahora con mayor firmeza —. Por lo tanto, decide tú: trabajas por él o vives sin él.

— ¿Qué tendría que hacer? — preguntó el niño, malhumorado.

— Primero tendré que hablar con tu papá sobre esto. Entonces te diré lo que haremos. Tu papá y yo haremos una lista de trabajos que hay que hacer y cuánto valen. Luego podrás decidir qué quieres hacer. ¿Está bien?

— Sí, supongo que sí. ¿Cuándo lo sabré?

—Trataremos de hablarlo esta noche, pero pienso que debes ser paciente. Sé que es difícil, pero puedes hacerlo.

Esa noche, cuando ella y Juan dispusieron de tiempo para conversar sobre la petición de José, decidieron en primer lugar que se requería reducir el tiempo que los niños dedicaban a mirar televisión. De modo que, a la noche siguiente, Diana y Juan se sentaron con los niños y examinaron la programación de televisión. Todos juntos decidieron qué mirarían durante la próxima semana. Los dos niños estaban molestos por no poder mirar televisión cada vez que quisieran pero, pasados unos días, aprendieron a volver a salir a jugar e incluso a conversar más con sus padres y entre ellos. Al no estar expuestos a la publicidad de la televisión, las peticiones de juguetes y demás cosas que anuncian empezó a disminuir. Cuando sus padres le presentaron la lista de trabajos a José, éste decidió que el juego Namuck no era tan importante para él, al saber cuánto tendría que trabajar para obtenerlo.

"Yo digo que la justicia es la verdad en acción".
— BENJAMIN DISRAELI

4

Tolerancia

"La tolerancia es buena para todos,
o no es buena para nadie".
— Edmund Burke

> **tolerancia.** *f.* Acción y efecto de tolerar. **2.** Respeto y consideración hacia las opiniones o prácticas de los demás, aunque repugnen a las nuestras.

○ "¡Mamá! Realmente no me gustan las arvejas, pero están bien".

○ "Hoy, en la escuela, los niños se estaban burlando de María. Les dije que eso no estaba bien".

○ "No me gusta la manera como mi profesor favorece a las niñas, pero supongo que puedo soportarlo".

Actualmente, parece haber un tema común en las conversaciones de los padres: más y más niños parecen tener una actitud irrespetuosa e intolerante hacia los demás, y comportarse como si tuvieran el derecho absoluto de decir, hacer o tener todo lo que quieran y en el momento en que así lo deseen. Incluso, si no quieren hacer ningún esfuerzo para entender o aceptar a los demás, porque hacerlo es difícil, piensan que tienen derecho a no hacer ese esfuerzo.

Por lo tanto, ¿cómo puede un padre enseñarles a sus hijos a hacer el trabajo mental necesario para entender y soportar (tolerar) tanto a las personas que los rodean como a las actividades que éstas realizan, distintas de las suyas? En primer lugar, debe enseñarles a tolerar la frustración que a menudo acompaña a las tareas difíciles. Este trabajo puede requerir el uso de cierto "músculo mental" que puede estar subdesarrollado, pero fortalecer ese músculo es de importancia decisiva porque les enseña a los niños cómo llevarse bien en un mundo cada día más diverso, tanto en el trabajo como en el entretenimiento.

¿A QUÉ NOS REFERIMOS CUANDO HABLAMOS DE TOLERANCIA?

o	Tolerancia significa darles a los demás sin esperar nada a cambio.
o	Tolerar la frustración significa estar dispuesto a hacer el esfuerzo requerido para realizar cosas difíciles.
o	Comprender la posición de otra persona y considerar las similitudes al igual que las diferencias ayuda a tener actitudes tolerantes.
o	Ser tolerante significa reducir la naturaleza destructiva de la competencia, ser capaz de "aceptar" si uno pierde.
o	Tener empatía y preocuparse por los demás es un signo de tolerancia.

Conozca a la familia Jiménez

Alejandra, de diez años, y Juana, de ocho, se hablaban como si no pudieran soportarse la una a la otra. Su grado de tolerancia era tan bajo que sus padres, Jaime e Isabel, pensaban que tal vez iban a tener que mantenerlas en sitios de la casa separados hasta que crecieran. Agresiones verbales tales como "¡No soporto verte!" o "¡Eres increíblemente estúpida!" o "¡Cómo puede alguien soportar estar cerca de ti, si eres tan desagradable!" eran el pan de cada día.

Jaime e Isabel se preguntaban: "¿Será que nuestras hijas realmente quieren herirse de esa manera?" Creían que sus hijas se ofendían recíprocamente sin darse cuenta de que esa agresión permanente estaba afectando su relación y su actitud general ante la vida... y todo lo que hay en ella.

Debido a que en los programas de televisión, al igual que en los juegos, abundaban este tipo de comentarios insidiosos, Jaime e Isabel sabían que necesitarían disponer de muchas oportunidades para poder cambiar las expresiones usadas por sus hijas. Incluso a esa temprana edad, la presión de los otros niños podía ser tan fuerte que sus hijas se aferraban a esa actitud agresiva como defensa ante los dardos que les lanzaban.

"Creo que es muy importante aprender a tolerar a los demás, porque tarde o temprano aparecerá alguien que a uno no le guste, y no habrá nada que hacer al respecto".

— Megan

Herramientas de enseñanza

Ayude a los niños a tolerar la agresividad verbal. Dentro del "juego" de la rivalidad entre hermanos, puede haber muchos insultos y desaires en el transcurso de la competencia por lograr una posición más alta en el concepto de los padres. Estos ataques entre hermanos pueden volverse virulentos y terminar en un daño tanto físico como emocional, a medida que los participantes expresan su falta de tolerancia ante la existencia misma de su hermano o hermana. También algunas veces, un niño cuya autoestima está en un nivel particularmente bajo, como resultado del maltrato mental y físico que le ha impuesto un hermano, puede bravuconear con sus condiscípulos o sus vecinos empleando las mismas tácticas agresivas para mejorar su posición.

A fin de evitar el daño que la rivalidad entre hermanos puede causar, es importante estar atento a las palabras y actos intolerantes de los niños. Al primer signo de intolerancia agresiva, recuerde al agresor que debe llevarse bien con los demás y ayúdelo a mostrar tolerancia con sus hermanos. Apoye a la víctima de la intolerancia ayudándola a utilizar la empatía para que comprenda de quién es el problema y por qué.

Advertencia: Evite atacar a la "persona".

Frecuentemente, cuando están furiosos o frustrados con el comportamiento de los niños, los padres acuden a los ataques personales. Cuando esté corrigiendo a su hijo, piense siempre en el comportamiento, porque es *el comportamiento* el que puede cambiar y es *el comportamiento* lo que usted quiere cambiar.

Momento educativo

Una mañana, a la hora del desayuno, salían de la cocina los sonidos acres de una discusión entre hermanas. Al acercarse, Isabel escuchó que Alejandra decía: — No soporto verte. Tu cara me produce náuseas.

— Yo también odio tu horrible cara —, gritó su hermana, revirando.

— Siento mucho que ustedes dos hayan resuelto no llevarse bien hoy — comentó Isabel al entrar en la cocina. Sabía que no debía tratar de ir al fondo del problema porque eso aumentaría el conflicto.

— Ella empezó — dijo Juana, pero Isabel la interrumpió:

— No importa quién empezó qué. Esa forma de hablarse es muy hiriente y no será tolerada en esta casa. Quiero que se lleven bien entre ustedes. Somos una familia, y llevarse bien es importante.

— Bueno, yo trato de llevarme bien con ella, pero... — dijo Alejandra.

— Sí, entiendo que ambas piensan que la otra se merece lo que obtiene, pero necesitan pensar en cómo se siente su hermana cuando le dicen cosas así. Con seguridad, las dos sufren — prosiguió Isabel —. Quiero que las dos se lleven bien. A medida que lo logren, podrán hacer lo que quieran. De lo contrario, tendrán que trabajar para mí.

A lo largo del día, Isabel se esforzó por elogiar a sus hijas cuando se estaban llevando bien. "Gracias por llevarse bien", les decía, incluso si sólo estaban coexistiendo en el mismo cuarto. Y esa noche, cuando se sentó junto a Juana como parte de los hábitos diarios al acostarla, su hija le hizo una pregunta muy difícil:

— Mamá, ¿por qué Alejandra me odia tanto?

— No creo que te odie realmente — dijo la madre —. Lo que ocurre es que ella llegó primero a la familia, y creo que no siempre le gusta tener que compartir contigo. Ella debe de estar furiosa con tu papá y conmigo por haber elegido traerte a la familia. Pero como no puede pelear con *nosotros*, lo hace *contigo*.

Entonces Isabel trató de ayudar a Juana a aprender a tolerar las palabras hirientes:

— Cuando Alejandra te esté tratando mal, ¿qué crees que podrías hacer?

Después de pensar en las distintas soluciones posibles y sus consecuencias, Juana decidió expresarle a su hermana cuánto la herían sus palabras, diciéndole: "Estás hiriendo mis sentimientos y no me gusta cuando dices eso" y luego alejarse de ella. Eso dejaría los disparos verbales de Alejandra justo donde se merecían estar: fuera de juego. De esta manera, Juana vería cómo su hermana "perdería puntos" al seguir haciendo disparos "irreglamentarios" e improductivos, y no tendría que culparse por haber sido la causante del comportamiento "equivocado" de su hermana.

Esté pendiente de ellos mientras miran televisión. ¿Existe en su hogar un monstruo devorador de los buenos modales, las actitudes positivas y la compasión hacia los demás? El monstruo es el televisor si está sintonizado en programas que contienen lenguaje ofensivo y líneas argumentales basadas en la intolerancia hacia los demás. Los niños pueden aprender estas lecciones impropias tan fácilmente como otras sobre las formas positivas de vivir la vida. Para saber qué influye en el comportamiento de sus hijos, siéntese con ellos mientras ven sus programas favoritos. Tome nota de las bromas que emplean los personajes para menospreciar o denigrar a los demás a causa de su aspecto particular o de su comportamiento. Descubra comentarios sexistas o racistas o estereotipos con características particulares físicas o étnicas. Comente estos descubrimientos durante los anuncios publicitarios, y después del programa plantee a sus hijos preguntas sobre el comportamiento de los personajes. Esta forma de promover una discusión le ayuda a entender cómo interpretan sus hijos las cosas que ven en la televisión.

ADVERTENCIA: EVITE HACER COMENTARIOS HUMILLANTES.

Algunas veces la gente humilla a los demás intentando ser divertida, como lo hacen muchos comediantes. De hecho, gran parte de las comedias que vemos en televisión o en cine son simplemente una sucesión de humillaciones. En la vida real, sin embargo, no hay una audiencia riéndose, y esas humillaciones logran su cometido al enviar el mensaje de que no existe mucha tolerancia hacia los demás en este mundo.

Momento educativo

Los Jiménez empezaron a notar que ciertos comentarios y frases estaban deslizándose en el vocabulario de sus hijas, comentarios que no sólo eran groseros sino que además reflejaban cierto grado de intolerancia. También reconocieron que algunas frases provenían de un programa de televisión que sus hijas miraban.

— ¡Vete a freír espárragos! — le dijo Juana a Jaime cuando apagó el televisor porque era la hora de cenar.

— ¿Dónde aprendiste a hablar así? — le preguntó Jaime a su hija.

— Así hablan en la televisión — respondió Juana tranquilamente.

— Pues bien: ése no es un lenguaje apropiado en nuestro hogar — replicó Jaime—. No me gusta la idea de que estés aprendiendo a hablar como un personaje de televisión grosero e intolerante. Supongo que necesitamos mirar los programas contigo para ver lo que estás aprendiendo.

A partir de ese momento, Jaime e Isabel supervisaron la televisión que veían sus hijas. Descubrieron una mina de situaciones y lenguajes inapropiados e intolerantes. Hicieron muchas preguntas cuando veían cosas que consideraban inapropiadas.

— ¿Cómo se sentirían ustedes si alguien les dijera eso? — les preguntó Isabel mientras miraban televisión.

— Creo que no me gustaría — respondió Alejandra.

— ¿Por qué creen que dicen cosas así en la

televisión sabiendo que a la gente no le gustaría que le hablaran de esa manera? — preguntó Isabel.

— No sé. Es tonto hablarle a la gente de manera que sus sentimientos resulten heridos — respondió Alejandra.

Después de varias semanas de ver televisión supervisada, la familia decidió que sería más entretenido leer durante las horas de esparcimiento familiar. Jaime e Isabel notaron una disminución en las frases graciosas pero humillantes, que estaban concebidas para hacer reír pero que evidentemente eran armas en extremo dañinas e hirientes.

"Mamá y papá siempre me dijeron que debía ser paciente con mi hermano y mi hermana cuando eran más pequeños y siempre se metían en problemas".
— JOYCE

Promueva la generosidad. Los niños aprenden cómo volverse más tolerantes cuando hacen suyas las situaciones de los demás. Establecer un programa familiar de asistencia social es una manera de que los niños aprendan a preocuparse por los demás y a dar de sí mismos en forma organizada. Donar juguetes, comida y ropa a los desamparados, y ser voluntarios en una obra social son algunas de las maneras de alentar a los niños a que experimenten la satisfacción de dar a los demás.

Estudie las costumbres y la cultura de otras personas. Los niños tienden a ser menos tolerantes con la gente que no entienden. Estudiar otras culturas es una manera de ayudar a que los niños destierren los mitos que han oído acerca de la gente que les resulta extraña. Cuando aprenden las razones de los hábitos, vestidos, etc. de los demás, les resulta claro que sus estilos y rituales tienen tanto valor como los suyos. Ver libros o programas de televisión sobre culturas y religiones diferentes es sólo una de las muchas formas para ayudar a sus hijos a familiarizarse con la manera de vivir de diferentes gentes en una sociedad crecientemente diversa.

Ayude a sus hijos a comprender que "diferente" no significa "malo". Muchos niños piensan que alguien está "equivocado" si no piensa o actúa como ellos. Ayude a sus hijos a comprender que ser diferente es un hecho de la vida. Incluso los niños mayores pueden beneficiarse de una lección sobre el mundo de la genética y la personalidad. Al comprender de dónde provienen las ideas y creencias de otra persona, un niño puede llegar a apreciarlas y aumentar su tolerancia y empatía.

Advertencia: Evite transmitirles sus prejuicios.

Mucha gente, en forma inadvertida, transmite sus prejuicios a los demás a través de sus comentarios. Se debe evitar hacer comentarios sobre el peso, el color, la estatura, el sexo, la ropa o cualquier otro aspecto de la gente, que demuestren falta de tolerancia hacia las diferencias.

Momento educativo

Alejandra llegó de la escuela un día y dijo:
— Hay un niño nuevo en mi clase, José, que no

habla español muy bien. Su ropa es vieja y descuida-
da. Todo el mundo se alejó de él.

Jaime preguntó, entonces:

— Si ese niño viste y actúa de manera distinta que
tú, ¿es eso malo? ¿Es eso un motivo para no querer
estar con él? ¿Le tienes miedo a la gente que es
diferente?

Después de analizar las razones o posibles moti-
vos de las diferencias de José, Alejandra decidió que
debería tratar de saber algo más sobre él. Comprendió cómo debía sentirse, siendo el niño nuevo de la
clase y sin entender lo que la gente decía. Su recién
descubierta empatía le permitió percibir cómo se
debe sentir ser alguien nuevo en un lugar extraño,
una situación que ella había vivido cuando llegó a
preescolar por primera vez y cuando ingresó en el
equipo de baloncesto. Poder relacionar esta situación
con su propia vida les ayudó tanto a Alejandra como
a José a entablar una conversación y le permitió a
Alejandra aprender más acerca de José, su familia y
el país en que vivía antes. Una amistad, basada en el
respeto mutuo de las diferencias de cada cual, flore-
ció en forma natural entre los dos niños.

"Para llegar a ser tolerante, primero se necesita paciencia".
— RACHEL

Refuerce la defensa de los derechos de los demás. Cuando
a los niños se les enseña que todo el mundo tiene derechos
que deben ser respetados, estarán más dispuestos a creer que
alguien debe defender esos derechos. Dialogar sobre los
derechos que tiene la gente y tratar de aplicar esos derechos

a lo que vemos en la televisión, en el cine, en la escuela, e incluso en el patio de recreo, ayuda a los niños a conocer más las formas de respetar los derechos de cada cual.

Momento educativo

A la hora de la cena, Juana le contó a su familia acerca de Daniel, un condiscípulo a quien sus compañeros se la tenían dedicada porque lo consideraban una peste. Juana lo había defendido ante sus compañeros, pero ahora temía que se volvieran en contra de ella.

— Fue muy amable de tu parte haber defendido a Daniel en esa forma, Juana — comentó gentilmente Isabel —. Estoy segura de que se sintió bien al saber que a alguien le importaban sus derechos. Pero ¿qué puedes hacer si algunos de los otros empiezan a molestarte por haberlo defendido?

Después de imaginarse en el papel del provocador y el de la víctima, Juana llegó a la conclusión de que podía tolerar algunas críticas y, sin embargo, seguir sintiéndose bien consigo misma. Decidió que podía decir simplemente: "No me gusta cuando me hablan así" y alejarse de su crítico. Eso enviaría el mensaje de que no pensaba tolerar ningún comentario agresivo.

"Aunque toda la sociedad está fundada en la intolerancia, todo adelanto está fundado en la tolerancia".
— George Bernard Shaw

5

INTERÉS POR LOS DEMÁS

"La cualidad de la misericordia no es forzada;
Cae del cielo como la suave lluvia
Y el lugar en que cae es dos veces bendito:
Bendice al que da y al que recibe".
— WILLIAM SHAKESPEARE

interés *m.* **2.** Actitud o estado de ánimo de alguien a quien le importa cierta cosa, siente curiosidad por ella o dirige la atención hacia ella. Sentimiento amoroso incipiente hacia alguien. Deseo de que a cierta persona le ocurran bien las cosas.

o "Mamá, ¿por qué tiene ese hombre una sola pierna? Siento pena por él".

o "Mi amiga María se lastimó hoy en el parque. ¿Puedo llamarla para saber cómo está?"

o "La señora Cortés necesita un poco de ayuda en su jardín. Voy a ayudarle el sábado".

○ "¡Es tan injusto cuando los niños lanzan insultos! Pareciera que no les preocupara lo que sienten los demás".

Música, baile, arte, interesarse por los demás. ¿Qué tienen en común todas estas actividades? Cada una utiliza el alma como combustible, como energía. Pero preocuparse por los demás es particularmente gratificante, porque tiene la ventaja de producir retroalimentación y recompensas inmediatas. El hecho curioso es que, aun siendo una fuerza mística, debe, sin embargo, ser enseñada activamente e inculcada con el ejemplo para que forme parte de los principios de vida de una persona. Un recién nacido no recibe genéticamente de sus padres el conocimiento de cómo interesarse por los demás. Sin embargo, a través de los momentos educativos que ofrecen retroalimentación positiva cuando se muestra interés por otra persona, un niño aprende que tal comportamiento no sólo es emocionalmente gratificante para él, sino que además es muy benéfico para quien es objeto de ese interés.

Aunque, incluso en las primeras etapas de su desarrollo, la mayoría de los niños muy pequeños son capaces de pensar primordialmente en ellos mismos, también son capaces de interesarse por los demás y de sentir empatía. Sin embargo, si los padres y otros adultos importantes no refuerzan y reconocen esta actitud durante los años formativos, los niños pueden crecer sin comprender en absoluto el efecto que sus actuaciones tienen sobre los demás. Pueden aprender a tiranizar, a ser exigentes con los demás, a permanecer centrados en sí mismos y a no darle importancia a su falta de amabilidad, ante todo porque no les han enseñado nada distinto.

*"Saber que toda persona tiene sentimientos
hace mucho más fácil querer a alguien".*
— TERESA

¿A QUÉ NOS REFERIMOS CUANDO HABLAMOS DE MOSTRAR INTERÉS POR LOS DEMÁS?

o Interesarse por los demás significa tener la capacidad de pensar en sus necesidades y sentimientos.
o Las personas que se interesan por los demás tienen la capacidad de ponerse en la situación de otra persona.
o Interesarse por los demás requiere la capacidad de sentir empatía.
o Para demostrar interés por alguien, una persona puede tener que aplazar la satisfacción de sus propias necesidades a fin de ayudar primero a ese otro ser.

CONOZCA A LA FAMILIA PÉREZ

Miguel y María Pérez estaban preocupados con la idea de que sus hijos no adquirieran la capacidad de interesarse en las necesidades de los demás, como lo demostraban diariamente sus "conflictos territoriales", brabuconadas, discusiones, y un comportamiento general que denotaba indiferencia y egoísmo. Jorge, de diez años, era de mal genio, discutidor y mandón. Su hermana de ocho años, Martha, contraatacaba, a la vez que atacaba verbalmente a su hermana Teresa, de seis años. El menor, Alberto, de cuatro años, era el más escandaloso y exigente de todos; en ocasiones, María sentía la tentación de contratar a una niñera para él, ¡incluso si ella iba a estar en casa!

Herramientas de enseñanza

Enseñe y refuerce la empatía. Durante los años preescolares, los niños son perfectamente capaces de interesarse en los sentimientos de las otras personas, pero, para que continúen sintiendo empatía hacia ellas, se les debe explicar cómo las afecta su comportamiento. Por lo tanto, cuando sus hijos digan cosas o actúen de manera que puedan lastimar a otros, inmediatamente explíqueles cómo se sienten sus víctimas con ese comportamiento. Relacione esos sentimientos con situaciones en que usted sabe que alguien los lastimó *a ellos*, para recordarles su propia experiencia de ser lastimados por los demás.

Advertencia: Evite reaccionar exageradamente ante los actos desconsiderados de sus hijos.

Mientras no hayan aprendido a interesarse en los sentimientos y necesidades de los demás, sus hijos pueden a menudo tratar a los demás en forma desconsiderada. Si usted reacciona exageradamente ante esto, reforzará la idea de que su hijo es malo. Una vez que él decida que es malo, puede resignarse ante ese hecho, y ser una "mala persona" puede parecerle simplemente una profecía cumplida.

Momento educativo

Alberto había estado lloriqueando y haciendo exigencias toda la mañana, lo cual tenía a María al borde de la desesperación. Cuando exigió algo de beber y empezó a gritar porque la bebida no era de su gusto,

María estuvo a punto de darle un grito, pero decidió simplemente alejarse y dejarlo solo en la cocina. Se concentró en palabras como *calma, tranquilidad y paciencia* para poder atenuar su ira. Cuando se sintió más calmada, regresó donde Alberto, que estaba sentado en el suelo de la cocina, anegado en lágrimas.

Con toda calma lo miró directamente a los ojos y le dijo:

— Me siento realmente herida cuando gritas y chillas de esa manera. Estoy segura de que no te gustaría que yo te gritara a ti así. De ahora en adelante, cuando hagas eso "irás al rincón" — le advirtió. ("Ir al rincón" significa estar solo durante un período establecido, generalmente un minuto por cada año de edad. El lugar puede ser una silla, un rincón, o el cuarto del niño, con la puerta cerrada.)

El niño la miró intrigado y luego, para ponerla a prueba, empezó nuevamente a gritar.

— Te dije que hieres mis sentimientos cuando haces eso; por lo tanto, irás al rincón — dijo ella, a tiempo que le quitaba los zapatos y lo dejaba en su cuarto con la puerta cerrada.

Alberto estaba muy furioso y se puso a patear la puerta, pero rápidamente comprendió que, sin zapatos, ¡patear la puerta no era muy buena idea! Una vez cumplido el tiempo del castigo, María le explicó a Alberto cómo mejorarían las relaciones familiares si él pensaba en cómo se sienten los demás antes de decidir cómo comportarse. Pasadas unas semanas, María notó que su hijo se controlaba, en medio de sus accesos de ira, para no herir los sentimientos de sus amigos o de su familia con sus palabras y acciones.

Dé ejemplo de empatía y de cómo mostrar interés por los demás. Debido a que éstos son dos conceptos abstractos, los adultos deben mostrarles a los niños cómo comportarse para demostrar empatía y preocupación por los demás. *Viendo* cómo deben comportarse para mostrar interés por los demás, los niños aprenden estos comportamientos más rápidamente que si los padres simplemente se los describen.

ADVERTENCIA: EVITE DENIGRAR A SU HIJO.

Decirle a su hijo que es malo por ser desconsiderado sólo reforzará su creencia de que, ciertamente, él es una mala persona. El problema de una falta de interés y preocupación por los demás no reside en el carácter de su hijo, sino en su comportamiento, y el comportamiento puede cambiarse.

Momento educativo

Miguel y María cayeron en la cuenta de que habían estado diciéndoles a sus hijos que se "comportaran bien", sin mostrarles lo que entendían por buen comportamiento. Por lo tanto, cuando Martha empezó a quejarse de que algo era injusto, Miguel decidió explicarle con palabras específicas el significado de mostrar interés y preocupación por los demás.

— Me preocupa mucho que te sientas mal. ¿Puedo hacer algo para ayudarte? — dijo Miguel.

— No es justo que Jorge vaya a visitar a un amigo el sábado y yo tenga que ir de compras con ustedes.

Quiero quedarme en casa. Ya soy lo suficientemente mayor — repuso ella, quejumbrosa.

— Lo siento, pero no siempre puedes hacer lo que quieras. Sé que no te gusta ir de compras con nosotros. Desearía poder dejarte en casa.

— ¡Podrías permitir que me quedara, si quisieras! ¡Simplemente quieres ser malo! — gritó Martha.

— ¡Realmente hieres mis sentimientos cuando me hablas así! — repuso el padre, pacientemente —. Yo fui amable contigo, y tú me trataste mal. Siento mucha tristeza al ver que no te importan mis sentimientos.

— Lo siento, papá. No quería gritar — se disculpó Martha y empezó a llorar.

— Gracias por disculparte. Puesto que me preocupa mucho cómo te sientes, trataremos de hacer algo agradable cuando estemos de compras — dijo Miguel mientras abrazaba a su hija para reconfortarla.

Esté pendiente de ellos mientras miran televisión. Sus hijos pueden aprender mucho al mirar televisión, pero quizá no aprendan nada sobre la empatía y la preocupación por los demás. Si usted observa qué ven sus hijos en la televisión, tendrá oportunidad de hablar acerca de situaciones en las cuales los personajes se hieren mutuamente. Además, mirar los programas con ellos le permite señalar formas sustitutivas de cómo *hubieran podido* actuar los personajes; formas que constituyan un ejemplo para sus hijos.

Momento educativo

Cuando decidió que necesitaba saber qué programas de televisión estaban mirando sus hijos, María se sentó con ellos una tarde en que no tenían clases. Quedó aterrada cuando escuchó a un personaje de una película de dibujos animados hablarle a su padre en forma muy desconsiderada. Daba la impresión de que el muchachito se preocupaba de sí mismo y de sus propias necesidades y deseos, y de que las necesidades de los demás miembros de la familia no le interesaban.

— ¿Qué piensan de lo que le acaba de decir Supersam a su padre? — les preguntó María a sus hijos.

— ¡Pienso que es divertido! — respondió Jorge, riéndose, y los demás estuvieron de acuerdo.

— ¿Qué pasaría si le hablaras a tu padre así? — prosiguió ella —. ¿Eso también te parecería divertido?

Jorge se volvió y miró a su madre.

— No lo creo...

— ¿Qué piensas que opinaría tu padre si le hablaras así? —insistió ella.

— Papá se pondría furioso. Diría que sus sentimientos habían sido heridos, — intervino Martha, al recordar la reciente conversación con su padre.

— ¿Por qué crees que tu padre se sentiría herido en sus sentimientos? — preguntó María.

— Porque hablarle así a la gente no es amable — dijo Jorge, frunciendo el ceño.

— Supongo que no sería muy amable que todos nos habláramos así, ¿no es cierto? — concluyó María.

Después de esa conversación, la familia sostuvo dos o tres diálogos más acerca del programa. A la semana siguiente, María notó que los niños ya no disfrutaban del programa tanto como antes, y terminaron por no volver a verlo.

Manténgase cerca y supervise las actividades de esparcimiento. Mientras sus hijos juegan entre sí o con otros niños, es importante supervisar sus juegos para asegurarse de que se comportan amigablemente. En caso de que oiga o vea un comportamiento que refleje falta de amabilidad e interés en los demás, es importante que intervenga rápidamente e interrumpa la actividad, para luego señalar el efecto producido por ese comportamiento y sugerir soluciones al conflicto.

Advertencia: Evite sermonear.

Por más tentador que pueda ser tratar de explicar de varias maneras por qué es bueno preocuparse por os demás, los discursos largos sólo enseñan a los niños a no escuchar a los adultos. En vez de sermonear, hágales a sus hijos preguntas que les ayuden a llegar a la conclusión que usted quisiera que encontraran.

Momento educativo

María estaba trabajando en la cocina, mientras Alberto y su amigo jugaban en el cuarto contiguo. Ella escuchó que su hijo le decía "estúpido" a su amigo Jaime. Cuando entró para ver qué ocurría, vio que Alberto estaba amenazando golpear a Jaime.

— ¡Alberto! ¿Cuál es la regla sobre los golpes? — preguntó su madre.

— ¡Él no quería jugar a lo que yo quería! — repuso Alberto quejumbrosamente.

— Si alguien no hace exactamente lo que queremos, ¿es ésta una razón para insultarlo y golpearlo? — preguntó la madre pacientemente.

— Supongo que no — contestó Alberto.

— ¿Cómo crees que se sintió Jaime cuando lo trataste de estúpido y amenazaste golpearlo? — preguntó la madre.

— Supongo que no le gustó.

— ¿Qué hubieras podido hacer en vez de insultarlo y amenazarlo?

No sé — replicó Alberto.

— Jaime, ¿qué te gustaría que hiciera Alberto cuando él desea que jueguen a lo que él quiere? — le preguntó al amigo de su hijo.

— Me gustaría que me preguntara si está bien que juguemos a lo que él quiere, y si yo no quiero, que me permita jugar a lo que yo quiero. Y cuando estemos en mi casa, él será quien escoja — repuso Jaime pensativamente.

— ¿Qué opinas tú, Alberto? — preguntó —. ¿Sería ésta una buena manera de resolver el problema?

Cuando Alberto respondió que sí, ella sugirió que la practicaran algunas veces para poder estar segura de que ahora sabían cómo llevarse bien siguiendo estas reglas.

*"Aun cuando hayamos aprendido a interesarnos
por los demás cuando éramos niños, esto es algo que
necesitaremos también en otros aspectos de la vida, porque no
se trata de preocuparnos solamente por la gente. Se trata de
mostrar interés por todas las cosas vivas y por lo que
éstas necesitan".*

— RACHEL

**Convierta en un hábito la participación en obras sociales y
de servicio a la comunidad.** Sus hijos aprenderán a preocuparse por los demás si participan en distintas obras sociales. Dedicar tiempo voluntariamente a socorrer a otros no sólo les ayudará a comprender cómo sus actos pueden beneficiar a la gente, sino también a aprender sobre empatía, a superar el egocentrismo, a mejorar la autoestima y a aumentar la solidaridad familiar.

*"... la mejor parte de la vida de un buen hombre:
Sus pequeños, desconocidos y olvidados actos
de generosidad y amor".*

— WILLIAM WORDSWORTH

6

V A L O R

*"La vida se encoge o se expande en proporción
a nuestro valor".*

— ANAÏS NIN

> **valor.** *m.* **4.** Cualidad del ánimo que mueve a acometer
> resueltamente grandes empresas y a arrostrar los pe-
> ligros. Coraje, determinación, empuje, resolución, va-
> lentía.

○ "No me importa lo que piensen. Me gusta mi manera
de ser".

○ "Sí, fueron muy desagradables conmigo, pero yo simplemente les dije que me dejaran en paz".

○ "Al comienzo estaba asustado, pero luego simplemente
pensé que podía hacerlo".

○ "¡Lo siento! Estaba equivocado, y no temo admi-
tirlo".

Soportar la presión de sus compañeros, no dejarse llevar por los demás, aguantar las bromas y disgustos, son sólo algunas de las batallas que los niños tienen que dar actualmente. Puede que no necesiten prepararse para adquirir el valor exigido a un soldado en combate, pero, sin embargo, tienen que enfrentar el temor ante estos frentes potencialmente peligrosos. Los niños presencian, a través de las noticias de la televisión, asesinatos y actos criminales; y a menudo en la escuela, en el vecindario, e incluso en su casa, deben enfrentarse a decisiones difíciles que requieren coraje y convicción. Ser capaz de enfrentar las provocaciones, ser fiel a sus creencias ante una presión a veces abrumadora, ser el único que no acepta conformarse pero sí admitir sus errores, son algunas de las actuales definiciones de valor.

"Mi padre me dijo que fuera valiente pero no estúpido".

— Jay

¿A qué nos referimos cuando hablamos de valor?

○ Correr riesgos razonables requiere valor.
○ Cuando una persona admite sus errores, demuestra que tiene coraje.
○ Es necesario tener valor para luchar por las convicciones propias.
○ Estar orgulloso de ser único requiere valor.
○ Se requiere coraje para soportar las bromas y disgustos que nos causan los demás.

Conozca a la familia Ríos

Julia Ríos era una madre soltera con dos hijos: Santiago, de cinco años, y Pedro, de siete. Julia se preocupaba a menudo respecto a su capacidad para enseñar a ser valientes a sus dos hijos, quienes rara vez veían a su padre, lo cual, creía ella, demostraba falta de coraje por parte de él. El padre de Julia era anciano y su único hermano vivía muy lejos. No estaba segura de cómo enseñar a sus hijos a ser valientes sin tener un modelo masculino que la ayudara, pero estaba decidida a ensayar.

Herramientas de enseñanza

Dé ejemplo de valor. La herramienta de enseñanza más importante que tienen los padres es su propio comportamiento. Los niños son grandes imitadores, por eso quieren comportarse de la misma manera que los adultos. Cuando usted enfrente situaciones que le produzcan temor, es importante que demuestre valor para que los niños puedan ver cómo manejar sus propios miedos.

Momento educativo

Era ya pasada medianoche, cuando el viento comenzó a soplar y las primeras gotas de lluvia repicaron sobre la ventana. A lo lejos se oían los truenos, pero rápidamente se fue acercando el fragor de la tormenta, hasta que las ventanas vibraron y la luz de los relámpagos iluminó la alcoba como si fuera mediodía.

"¡Mamáááá!", fue el angustiado grito que oyó

Julia llegar del otro cuarto, y comprendió que sus hijos estaban muy asustados.

Estaba a punto de levantarse, cuando los truenos retumbaron tan fuertemente que la casa entera se estremeció.

— ¡Uy! Ése estuvo cerca — dijo Julia en voz alta, al poner los pies en el suelo.

Justo entonces se abrió la puerta del cuarto, y allí, bajo la refulgente luz de la tormenta, aparecieron Santiago y Pedro. Al verla, corrieron hasta la cama y se enfundaron en las cobijas.

— ¡Oigan, niños, déjenme algo de espacio! — gritó Julia, y se deslizó bajo las cobijas. Los niños se adhirieron a ella formando un solo cuerpo, mientras escuchaban la tormenta. Cada trueno los sobresalta-ba: estaban realmente asustados.

— No es nada, niños. Es sólo una tormenta — dijo ella —. Podemos manejar esto. Todo va a salir bien.

— Pero, mamá — susurró la voz de Santiago bajo las cobijas —, ¡tengo miedo de que nos caiga encima!

— Lo sé — respondió Julia —, pero no es más que ruido. El trueno no puede caernos encima, y por lo general los rayos caen sobre objetos altos, como los árboles.

— Sí, Santiago — dijo Pedro, tratando de ser valiente —. Sólo es ruido. No puede hacernos daño.

— Ustedes son niños valientes y fuertes y pue-den manejar una tormenta como ésta — dijo Julia —. Ahora tratemos de dormir un poco. Cuando se despierten por la mañana, verán que todo habrá pasado.

Se acomodaron todos juntos en la cama, y pronto los niños se durmieron. Julia permaneció escuchando la tormenta que se alejaba. Se sintió segura con los niños durmiendo junto a ella, porque había estado tan tentada como ellos de dejarse llevar por el miedo. Estaba complacida consigo misma por haber podido, al menos, mantener una actitud valiente ante ellos, de manera que pudieran sentirse seguros y seguir su ejemplo.

"Piensa en algo agradable cuando creas que hay monstruos bajo la cama".
— SARA

Enseñe a los niños a defender sus propios derechos al igual que los de los demás. Cuando los niños aprenden a defender sus derechos, están demostrando lo valeroso de sus convicciones. La tarea más difícil, sin embargo, es defender los derechos de los demás. Cuando lo hacen, no sólo están siendo fieles a sus principios, sino que además se están colocando "en los zapatos" de otra persona. Para contribuir a que sus hijos aprendan a ser valientes, ayúdelos a entender cómo se sienten los demás y a estar dispuestos a defender los derechos de las otras personas. Ayúdeles, así mismo, a ser conscientes de que podrían sufrir como consecuencia de esa actitud, lo cual es algo esencial en el aprendizaje del valor. No olvide, sin embargo, que el viejo adagio "La discreción es la parte más importante del valor" todavía se aplica hoy en día. En campos en los cuales la violencia es la reacción automática ante la frustración, defender a los demás puede no ser el mejor de los comportamientos para elegir. En estos casos, evitar la confrontación "manteniéndose a distancia" es a menudo la mejor solución.

ADVERTENCIA: EVITE AVERGONZAR A SUS HIJOS PARA ENSEÑARLES A SER VALIENTES.

A los niños no se les puede exigir coraje, pues el coraje nace del hecho de adquirir un compromiso y de luchar por mantenerlo. Si usted les exige valor y avergüenza a los niños por no demostrarlo, muy probablemente su exigencia les provocará resentimiento en vez de alentarlos a ser valientes. Expresiones como "¿No te avergüenzas de ti mismo?" sólo provocarán vergüenza y dudas en el niño en vez de fomentar el valor.

Momento educativo

Cuando Pedro describió cómo algunos de sus condiscípulos estaban fastidiando a su amigo en la escuela, Julia le preguntó qué pensaba él que debía hacer al respecto.

— Supongo que debería tratar de obligarlos a no hacerlo — respondió Pedro lentamente —, pero si lo hago, entonces se enfurecerán conmigo.

— Eso es un problema — replicó Julia —. Algunas veces nuestro miedo a lo que puedan pensar otros puede interferir en nuestro deseo de defender a nuestros amigos. ¿Qué opciones tienes cuando unos niños se dedican a fastidiar a otros?

Pedro reflexionó sobre el problema y dijo que él podría contarle al profesor, tratar de convencer a los niños de que dejaran de fastidiarlo, o pelear por su amigo. Finalmente, decidió que se sentiría muy a gusto si rescataba a su amigo o a cualquier otra persona a la que estuvieran fastidiando. Sin embargo, decidió que si ocurría nuevamente, él y su amigo simplemente optarían por alejarse de los camorristas para evitar perder el tiempo haciendo algo que sabían que estaba mal: pelear con los demás.

Julia se sintió orgullosa de Pedro por su valentía al respaldar a su amigo y se lo dijo:

— Pedro, debes sentirte bien por estar dispuesto a respaldar a tu amigo, incluso a sabiendas de que tú podrías sufrir. Estoy muy orgullosa de tu valor.

Pedro quedó radiante y Julia supo que él estaba aprendiendo la importante lección del valor.

"Es bueno defender las cosas en las que uno cree".
— Annie

Enseñe a los niños a combatir sus temores. Los niños desarrollan temores naturalmente, porque mezclan una rica vida de fantasía con la realidad que los rodea. Aunque sus temores puedan parecerles irracionales a los adultos, para ellos son absolutamente reales. Sus temores se modificarán a medida que crezcan y se desarrollen, pero es probable que siempre tengan algún tipo de miedo, tal como les ocurre generalmente a todos los adultos. En vez de tratar de lograr que abandonen sus temores, es mejor ayudarlos a aprender a combatirlos. Para enseñarles a combatirlos, acepte los temores de sus hijos, pero anímelos a creer que son tan valientes y tan fuertes como para manejar ese temor que sienten. De esa forma, aprenderán a no temerle al sentimiento en sí mismo, y es muy probable que adquieran el valor necesario para combatir cualquier cosa que les produzca miedo.

Momento educativo

— Mamá, tengo miedo — fue la débil voz que despertó a Julia de un profundo sueño —. Mamá, tengo miedo — dijo la voz nuevamente, con mayor insistencia.

Julia abrió un ojo y vio la carita de su hijo de cinco años a sólo unos centímetros de la suya:

— Santiago, ¿qué sucede? — murmuró, todavía embotada por el sueño.

— Me desperté, escuché un ruido y estoy asustado — explicó él —. ¿Puedo acostarme junto a ti?

— No — contestó ella suavemente —. Pienso que sería mejor que volvieras a tu cama, trataras de relajarte y volvieras a dormirte.

— Pero, mamá, tengo miedo de que algo me atrape — insistió él —. Hay ruidos en la casa. Escucha, ¿oyes eso?

— Eso no es más que la casa que cruje y traquetea. Las casas hacen eso porque se expanden durante el día y se contraen por la noche, cuando hace frío.

— No lo entiendo — respondió Santiago, con voz intrigada —. Todavía me asusta.

— Te comprendo, mi amor, pero nada te sucederá — insistió Julia —. Ahora, ven te llevo de nuevo a tu cama.

De mala gana, Santiago regresó al cuarto que compartía con su hermano, que estaba profundamente dormido. Julia se abstuvo de señalar que Pedro no tenía miedo. Sabía que ese tipo de comparación no le ayudaría mucho a Santiago. Él saltó a la cama, y ella lo arropó cubriéndolo con las cobijas hasta la quijada.

— Tú eres valiente y fuerte y puedes controlar tu miedo. ¡Ya verás! Te despertarás por la mañana y todo estará bien. Ahora ponte a pensar en cosas realmente divertidas para evitar pensar en cosas malas. Estarás bien porque eres fuerte y valeroso. Buenas noches — y se inclinó para besarlo en la frente. Puso la mano sobre el pecho del niño y pudo sentir que los latidos de su corazón se calmaban a medida que se relajaba.

Algunas semanas después, en forma casual, ella le preguntó a Santiago por qué dormía con la cabeza bajo las cobijas y con el cuerpo aplastado contra la pared.

— Así los monstruos no me atacan — contestó él, muy serio. Ella supo que el niño estaba empezando a vivir con sus temores, inventando su propio sistema para controlarlos. Estaba adquiriendo coraje.

Enseñe la valentía a través de la resolución de problemas. Los niños que han aprendido a pensar acerca de un problema, a encontrar soluciones sustitutivas, a analizar las posibles consecuencias de su solución, y a elegir la que les parece mejor, son capaces de reunir el coraje necesario para enfrentar las burlas y demás comportamientos emocionalmente perjudiciales de que otros los hacen víctimas, porque han aprendido a tener más control sobre sus reacciones ante esos hechos.

Momento educativo

Pedro regresó de la escuela a casa quejándose de los insultos que habían proferido contra él dos de sus más odiosos compañeros de clase. Estaba furioso. Durante la cena, Julia lo interrogó sobre su problema:

— ¿Por qué te insultan?

— No sé — replicó Pedro —. Yo me pongo furioso y les gritó, pero ellos simplemente se ríen.

— Tal vez sólo les gusta verte rabiar — sugirió su madre.

— Los odio cuando hacen eso — dijo Pedro airadamente.

— ¿Qué tal si tratamos de encontrar algo que puedas hacer ante este problema? — preguntó Julia y trajo papel y lápiz —. Veamos: encontremos todas las posibles maneras de reaccionar cuando te insulten que se te ocurran.

Empezaron a hacer una lista que incluía soluciones tales como golpear a sus compañeros, contarle al profesor, ponerse furioso con ellos o no hacerles caso. Luego Julia le preguntó a Pedro qué pensaba que ocurriría si ensayaba cada una de las posibles soluciones. Con su madre guiándolo, Pedro empezó por rechazar las soluciones violentas, porque sabía que eran erradas y sus consecuencias demasiado graves. Tampoco le gustaba contarle al profesor, porque eso sólo les proporcionaría a los otros un motivo más para insultarlo. Finalmente decidió tratar de no hacer caso de los improperios, pero Julia comprendió que él no estaba seguro de cómo hacer para pasar por alto algo que lo perturbaba tanto.

— Si quieres no hacerles caso, ésta es la forma de actuar: cuando te insulten, diles: "¡No me gusta que digas eso!" y aléjate — sugirió Julia —. Ahora practiquemos, para ver si funciona.

Ella le lanzó algunos improperios, y él dijo:

— ¡No me gusta que digas eso! — y se alejó de ella.

— ¡Estupendo! — exclamó Julia —. Ahora, volvamos a ensayar.

Esta sesión de solución de problemas y de entrenamiento le enseñó a Pedro cómo pensar en los problemas y cómo poner en práctica soluciones que él mismo consideraba útiles. Gracias a que ahora tenía algunas habilidades nuevas, también tenía más coraje para enfrentar los insultos con seguridad.

Ayude a los niños a establecer y mantener su propia individualidad. Los niños necesitan pertenecer a un grupo de iguales, y su fuerte apego a ese grupo es la razón por la cual piensan que, si son diferentes de los demás, no serán aceptados por sus amigos. Ser diferente, entonces, es considerado peligroso, porque los niños quieren encajar en el grupo y ser como todos los demás. Ayudar a los niños a reconocer y comprender su propia individualidad es un comienzo importante para ayudarlos a adquirir el valor para ser ellos mismos, con lo cual se destruye además el mito de que "lo diferente" es antipático.

Momento educativo

Cuando les pidieron que usaran los suéteres que su abuela les había enviado, Pedro se rebeló y Santiago lo imitó.

—Si me pongo esto, todo el mundo pensará que soy un payaso — gritó Pedro —. Nadie usa cosas así. Seré diferente.

—Mis compañeros también se burlarán de mí, si uso eso — se le unió Santiago.

En vez de castigarlos por su obstinado rechazo, Julia les hizo algunas preguntas.

— ¿Y qué importa que se vean diferentes? — preguntó —. ¿Va a ser algo tan grave que no van a poder soportarlo? Ustedes saben cómo actuar si los niños se burlan de ustedes. Hemos practicado cómo no hacer caso de las burlas. La abuela se sentirá feliz cuando le escriban y le cuenten que hoy usaron los suéteres.

Estas reflexiones permitieron que Pedro y su hermano vieran su comportamiento bajo una nueva luz: tener la capacidad de optar entre distintas formas de comportamiento basándonos en nuestros principios sobre lo que está bien y mal, y no en el temor de ser diferentes. Lo más importante fue que esta lección emocional les ayudó a tener el coraje de defender sus principios.

Ayude a los niños a oponer resistencia a la presión negativa de sus compañeros. La presión de los compañeros es una de las fuerzas más poderosas en la vida de los niños. En las edades intermedias, muchos niños se esfuerzan más por pertenecer a su grupo de coetáneos que a su familia. Si usted quiere ayudar a su hijo a establecer y mantener sus propios límites, incluso en medio de la presión negativa de sus compañeros, es importante enseñarle a evaluar lo que sugieren éstos para que pueda tomar decisiones personales apropiadas que sean consecuentes con "quien es él": una persona cuya ética asegura el comportamiento apropiado. Para que sus hijos aprendan a tomar decisiones, presénteles diariamente muchas opciones, cuando sea del caso, para que actúen respetando su propia imagen positiva. Cuando aprenden el proceso de la toma de decisiones, los niños son más capaces de tener el valor necesario para defender las decisiones que han tomado.

Momento educativo

Cuando Santiago y un vecino se metieron en un lío al arrojar piedras a otros niños, la respuesta de Santiago a la pregunta de su madre sobre por qué había hecho eso fue:

— José dijo que lo hiciéramos.

— Si él te pidiera que saltaras al abismo, ¿también lo harías? — le preguntó Julia en el estilo típico de los padres.

— Pero si no lo hago, él no será mi amigo — respondió Santiago en su defensa.

Fue entonces cuando Julia comprendió que no le había enseñado a Santiago a resistirse a la presión de sus compañeros. Parte del problema provenía de su enfoque autoritario frente a sus hijos. Ella pensaba que les debía decir lo que tenían que hacer sin ofrecerles opciones. Lo que había hecho inadvertidamente era enseñarles a sus hijos a recibir órdenes.

— Cuando alguien quiera que hagas algo, ¿cómo sabrás si debes o no hacerlo? — le preguntó Julia al niño.

— Supongo que escucharé esa vocecita dentro de mí — respondió Santiago.

— ¿Cuál vocecita? — preguntó Julia, algo preocupada de que su hijo menor estuviera oyendo voces.

— Ya sabes: mi conciencia — respondió Santiago, impaciente.

— Ah, sí, tu conciencia — Julia sintió alivio —. ¿Y cómo sabrás que te está guiando en la buena dirección?

— No sé — respondió Santiago después de pensarlo un poco.

— Bien, supongo que si tienes que pensar si haces o no algo, probablemente no es buena idea hacerlo. Es tu conciencia la que te está dando esa información.

— Pero ¿qué ocurre si José quiere hacer algo y yo sé que está mal, pero él insiste en que yo lo haga? — preguntó Santiago, con aire de impotencia.

— ¿Qué tal si le dices que a ti te gusta jugar con él, pero que lo que quiere que hagas los meterá a ambos en líos, y luego sugieres hacer otra cosa que tú sabes que está bien? Tal vez debamos practicarlo un par de veces para que te sientas cómodo cuando le contestes a José.

Julia practicó con él, pidiéndole que hiciera toda clase de cosas, sobre algunas de las cuales él tenía realmente que pensar, porque no estaba seguro si estaban o no bien. En las semanas siguientes, Santiago tomó mejores decisiones sobre distintas cosas. Julia se sintió muy satisfecha cuando su hijo declaró: — José me pidió que fuéramos a la casa que están construyendo en la cuadra vecina, pero yo lo pensé y le dije que eso podía meternos en líos. En cambio, fuimos al parque de diversiones y allí nos entretuvimos jugando. Fue divertido.

Ella sabía que al menos Santiago tenía ahora la habilidad necesaria para resistir la presión de sus compañeros. Sólo le quedaba esperar que tuviera el suficiente coraje para continuar empleándola.

"Observe la tortuga. Sólo avanza cuando estira el cuello".
— James B. Conant

7

SENTIDO DEL HUMOR

*"La humanidad se toma a sí misma demasiado en serio.
Ése es el pecado original del mundo. Si los cavernícolas
hubieran sabido cómo reírse, la historia hubiera
sido diferente".*

— OSCAR WILDE

humor. *m.* 3. jovialidad, agudeza. 4. Buena disposición en que uno se halla para hacer una cosa. **buen humor.** Propensión más o menos duradera a mostrarse alegre y complaciente.

- "Eso es divertido. Me hace reír".
- "Míralo de esta manera. Así es divertido".
- "¡Me siento tan bien cuando me río!"
- "Él me gusta porque me hace reír".

EL HUMOR PROVOCA UNA RESPUESTA emocional única. Los bebés son capaces de reír de felicidad en los momentos en que hacen un descubrimiento, simplemente encantados ante la sorpresa de su creciente discernimiento. Pero los niños pueden perder la virtud del humor cuando sienten que no los aman y cuando en su vida no hay modelos que les enseñen cómo saborear la vida con sentido del humor. Para tener la capacidad de apreciar el humor de las situaciones de la vida, se requiere valorar su espontaneidad y sus imperfecciones. Esta capacidad de apreciación se adquiere mejor en el contexto de un ambiente de protección y apoyo, que fomente un sentido gozoso de asombro ante al mundo y la búsqueda del humor y de soluciones en la adversidad, en vez de buscar a alguien a quien culpar o hacer responsable de los altibajos de la vida.

Los niños, como los adultos, también recurren al humor como defensa ante aquellas situaciones que les producen ansiedad. La inteligencia, el sexo, la religión, la política y las situaciones embarazosas presentan situaciones potencialmente estresantes alrededor de las cuales se inventan bromas que nos ayudan a enfrentar nuestro malestar.

¿A QUÉ NOS REFERIMOS CUANDO HABLAMOS DE SENTIDO DEL HUMOR?

- Para encontrarle humor a la vida, una persona no debe tomarla demasiado en serio.
- Para tener sentido del humor es necesario creer en uno mismo.
- El humor requiere una visión creativa de nuestro mundo imperfecto.
- Aceptar la vida tal como es, contiene un elemento de humor.

CONOZCA A LA FAMILIA LÓPEZ

Simón y Karen López amaban a sus hijos —Juana, de ocho años; Felipe, de diez, y Carlos, de quince—, pero tendían a exigir perfección en muchas de las cosas que les solicitaban a los niños. Un día en que Karen se estaba quejando de que sus hijos no hacían las labores como ella quería, Carlos le dijo que se tranquilizara. ¡Ésa fue la gota que rebosó la copa! Ella reaccionó diciéndole que era un irrespetuoso y que estaba avergonzada de que fuera su hijo. Ambas afirmaciones desgarraron el corazón de Carlos. Cuando Karen le relató el altercado a Simón, exageró hasta tal punto que Carlos casi formaba parte de la lista de los "Diez más buscados". Fue entonces cuando Simón se dio cuenta de que su familia había enterrado en cierta forma toda la alegría de la vida y que por eso ahora le era difícil volver a casa por la noche. La familia entera acordó que tratarían de reencontrar el humor perdido para rescatarse a sí mismos de la tristeza y la aflicción en la cual se estaban hundiendo.

"Si usted se ríe de los errores, éstos no lo molestan tanto".
— SAM

HERRAMIENTAS DE ENSEÑANZA

Dé ejemplo de humor. La herramienta de enseñanza más importante que poseen los padres es su habilidad para mostrarles a los niños cómo se hacen las cosas. Los niños no aspiran a nada distinto de seguir el ejemplo de aquellos a quienes aman, por lo tanto, es importante que ese ejemplo sea constructivo. A través del humor, los padres pueden mostrarles a los niños cómo encontrar diversión en la vida diaria y cómo aceptar las vueltas y revueltas que da la vida.

ADVERTENCIA: EVITE REÍRSE DE LOS NIÑOS.

Para enseñarles humor a los niños es tentador reírse de sus errores. Sin embargo, ellos pueden considerar esta risa paternal un menosprecio y perder su autoestima. En vez de reírse de sus hijos cuando hacen algo mal, pregúnteles primero qué opinan de su error y luego ayúdelos a ver el lado humorístico de lo ocurrido.

Momento educativo

— Juana, ¿me ayudas a poner la mesa, por favor? — le pidió Karen a su hija antes de cenar.

— Claro, mamá — respondió ella, y abrió el mueble en que guardaban los vasos. Cuando estaba sacando un vaso para cada miembro de la familia, dejó caer uno en el piso de la cocina, y éste se rompió.

— ¡Oh, nooooo! — gimió ella, y salió corriendo de la cocina, sollozando.

Karen fue tras ella.

— Juana, mi amor, ¿qué ocurre? — preguntó.

— Rompí un vaso — se lamentó la pequeña de ocho años —. ¡Soy tan torpe!

— Todo el mundo comete errores, mi amor — le dijo Karen —. Romper un vaso no es nada grave. Lo grave sería romper todos los vasos. O, peor aún, romper toda la vajilla. Entonces tendríamos que sostener la comida en las manos y lamer las bebidas como lo hacen los perros.

Al imaginar lo que su madre describía, Juana empezó a reírse. Se imaginó a su familia comiendo como una familia de perros, y realmente le pareció gracioso. Ella y su madre regresaron a la cocina a recoger los vidrios rotos. Karen se alegró de haber podido encontrar humor en la adversidad y que el humor hubiera neutralizado el desastre que Juana creía haber causado.

"Cuando puedes ver el lado divertido, todo es mucho más fácil".
— Katie

Refuerce el sentido del humor en los niños. A menudo, los padres enfrentan el dilema de cómo reaccionar cuando los niños dicen cosas que les parecen graciosas. ¿Por qué? Porque otra gente puede no encontrarlas tan divertidas, según como definan lo que es "ofensivo". Por lo tanto, antes de reforzar el humor, primero debe juzgar si es o no apropiado. El humor apropiado es aquél que evita la crueldad o el menosprecio hacia los demás. También se debe evitar el humor que toca funciones corporales o el tema de la sexualidad. Reaccionar simplemente como espectador atento es un apoyo suficiente para la mayoría de los cómicos en ciernes. También es útil comprender cómo evoluciona la naturaleza del humor en los niños. Los niños pequeños, hasta la edad de seis años, disfrutan del humor acerca del proceso fisiológico de eliminación; por lo tanto, su humor se concentrará en palabras como "caca" y sus similares. Los niños entre los seis y los doce años usan palabras más refinadas referentes a la eliminación y las funciones corporales, y la ropa interior puede ser un tema frecuente en el humor. El humor de los quinceañeros puede adquirir un contenido más sexual, con expresiones más gráficas.

ADVERTENCIA: EVITE REACCIONAR EXAGERADAMENTE ANTE EL HUMOR ESCATOLÓGICO.

Debido a que los niños utilizan naturalmente el humor para disminuir la ansiedad ante cosas que les están ocurriendo, reaccionar en forma exagerada ante cualquier uso ofensivo del humor sólo aumentará su ansiedad y los hará sentirse avergonzados de sí mismos. Cuando están ansiosos y avergonzados, los niños pueden seguir portándose en forma inapropiada, pero ese comportamiento puede volverse soterrado y los padres pueden no darse cuenta de lo que está ocurriendo.

Momento educativo

Karen y Simón llevaron a sus hijos a un concierto en el parque un domingo por la tarde, para que vieran una banda "de verdad". Uno de los números presentaba a dos hombres que tocaban gaita.

— ¿Qué tienen dentro de esas bolsas? ¿Gatos?— preguntó Felipe en tono serio pero burlón.

Tomados por sorpresa, tanto Karen como Simón se rieron, al igual que otras personas que estaban sentadas cerca.

—Felipe, ¡eso es gracioso! —dijo Karen, y Felipe quedó radiante con su aprobación.

Al respaldar el humor apropiado de Felipe, Karen le permitió tener una visión creativa y humorística de una experiencia nueva, que hubiera podido hacerlo sentir estúpido porque no estaba familiarizado con ella.

"Me gusta cualquier persona que sea divertida".
— BRAD

Supervise la televisión y el cine que ven sus hijos. Debido a que los niños están apenas adquiriendo familiaridad con lo que se considera gracioso, pueden, a través de lo que ven en los medios de comunicación, aprender un humor inapropiado que hace daño a los demás. Cuando alguien, en una comedia, hace un comentario despectivo acerca de otra persona, y el público se ríe, los niños quedan condicionados a pensar que eso es gracioso. Para ayudar a sus hijos a comprender lo inapropiado de algunos de los intentos humorísticos que están viendo, mire lo que ellos estén mirando y ayúdeles a comprender que el humor apropiado no debe herir a los demás.

Momento educativo

Como estaba preocupada por lo que sus hijos miraban, Karen decidió dedicar algún tiempo a ver los programas favoritos de Juana y Felipe con ellos. Uno de los programas era una comedia con niños. Cuando uno de los niños llamó al otro "cabeza de chorlito", el público presente en el estudio de televisión se rió, y los hijos de Karen también.

— ¿Qué tiene de gracioso llamar a alguien cabeza de chorlito? — preguntó Karen.

— Mamá, simplemente es muy divertido — respondió Juana.

— ¡Cabeza de chorlito! ¡Cabeza de chorlito! — repetía Felipe.

— ¿Cómo te sentirías si alguien te llamara cabeza de chorlito? — preguntó Karen a su hijo, quien repentinamente se puso serio.

— No creo que me gustaría — contestó finalmente.

— A mí tampoco me gustaría — estuvo de acuerdo Juana.

— Creo que tenemos que pensar cómo se siente la persona a quien se le están dirigiendo los insultos, incluso si se supone que son graciosos — prosiguió Karen —. Para saber si está bien decir algo como eso, simplemente piensen en cómo se sentirían ustedes si alguien les dijera algo por el estilo.

Otro día de esa semana, mientras miraba televisión con un amigo, Karen escuchó que Felipe decía:

— Eso no es realmente gracioso. Eso podría herir los sentimientos de alguien si se lo dijéramos.

— ¿Y eso qué importa? — respondió el amigo —. Es gracioso.

— Pues a mí me importa, y yo no quiero herir los sentimientos de los demás — respondió Felipe.

Karen se alegró de que su hijo fuera capaz de emplear cierto razonamiento al evaluar la diferencia entre el humor que estaba "bien" y el que estaba "mal".

Hágale saber a la gente que su humor hace daño. Algunas veces los intentos de ser gracioso hacen daño a los demás, cosa que dio pie al viejo refrán: "Más de una verdad se ha dicho en broma". Cuando algo se dice en forma humorística, se supone que está bien. El sarcasmo y el menosprecio son, a menudo, formas en que se usa el humor para lesionar la autoestima de la gente y sentirse superior. Para que los niños comprendan la naturaleza hiriente de cierto humor, se deben establecer límites al uso del humor, y se les debe enseñar lo que se siente cuando es uno el objeto de algún comentario sarcástico, incluso si ha sido hecho por "diversión".

ADVERTENCIA: EVITE APAGAR EL FUEGO CON FUEGO.

Cuando los niños son sarcásticos o traspasan otros límites del humor, usted puede sentir la tentación de emplear, en represalia, la misma clase de humor. Recurrir al sarcasmo para combatir el sarcasmo es tan sólo un ejemplo de las violaciones humorísticas que usted está tratando de eliminar. Es mejor informar al gracioso acerca del dolor que se ha experimentado por su causa y sugerirle otras formas de expresar sus sentimientos o ideas.

Momento educativo

— Carlos, hemos decidido ir al cine todos juntos este viernes por la noche — le dijo Karen a su hijo quinceañero —; por lo tanto, no hagas otros planes.

— ¡Claro, mamá! — respondió Carlos sarcásticamente —. Me voy a quedar sin ver a mis amigos para ir con mi familia a ver una película bien aburrida. ¿Estás loca? ¿Cómo se te ocurre?

Las emociones de Karen dijeron: "¡Córtale la lengua!", pero la voz de la razón dijo:

— Carlos, realmente hieres mis sentimientos cuando me hablas así y te muestras sarcástico con los planes familiares.

— ¿No puedes soportar un chiste, mamá? — dijo Carlos en su defensa —. Sólo estaba bromeando.

— Entiendo que estabas tratando de ser gracioso, pero tu intento fue hiriente e inapropiado — respondió Karen —. Para mantener tus privilegios, vas a tener que controlar tu humor. No toleraré más sarcasmo ni insultos hirientes. Si tienes que explicarle a alguien que sólo estabas bromeando, es porque lo que dijiste fue demasiado hiriente. ¿Comprendes?

— ¡Sí, mamá! — respondió Carlos —. No te pongas tan seria. No creo que sea para tanto.

— Pues sí, a la persona que resulta herida sí le importa mucho — le aclaró Karen —. Todo lo que te pido es que te escuches a ti mismo antes de decir algo y trates de imaginar cómo podría sentirse la otra persona. De esa manera, tal vez sepas si eres hiriente o no. Piensa antes de hablar. Algunas veces no es lo que dices sino cómo lo dices lo que puede herir a alguien. Tus privilegios dependen de que aprendas esta lección.

— Está bien, mamá, trataré. Pero tú me conoces: hago cualquier cosa con tal de reírme.

A pesar de que era un adolescente, Karen sabía que Carlos seguiría sus indicaciones. Él era sensible y se preocupaba por los sentimientos de los demás. Sólo necesitaba aprender cómo presionar el botón de "pare" para controlar su sentido del humor, algo que estaba contenta de poder enseñarle.

"Una persona tiene dos piernas y un sentido del humor, y si se encuentra ante la alternativa de perder una pierna o el sentido del humor, es mejor perder una pierna".
— Charles Linder

8

Respeto

"La verdadera cortesía es la perfecta naturalidad
en una situación de libertad. Simplemente consiste en tratar
a los demás justo como a usted le gustaría ser tratado".
— Conde de Chesterfield

> **respeto.** *m.* Obsequio, veneración, acatamiento que se hace
> a uno. **2.** Miramiento, consideración, atención, causa o
> motivo particular.
> **consideración.** *f.* Acción y efecto de tratar a una persona con
> urbanidad y respeto.

o "Siento haberlo ofendido. No pensé en cómo se sentiría".

o "No hice eso porque sabía que iba contra las reglas".

o "Quería algo que estaba en tu cuarto, pero no entré.
   No quería invadir tu intimidad".

Es un círculo vicioso: para ser capaz de respetar a los
demás y los límites que ellos establecen, uno debe haber sido
dotado con el sentido del respeto a sí mismo. ¿Cómo se

obtiene ese sentido? ¡Al ser tratado con respeto! Por lo tanto,
para enseñar el respeto a los niños, los padres tienen la
responsabilidad de comprender el punto de vista de su hijo
en distintas situaciones y mostrarse respetuosos de su posición, incluso si no están de acuerdo con ella. Cuando
observa el ejemplo de comprensión y aceptación de los
demás, el niño también aprende a tratar de entender a los
demás. Cuando son capaces de pensar desde la perspectiva de otra persona — incluso si es diferente de la de
ellos —, los niños aprenden a tratar a los demás con
amabilidad y consideración. Cuando lo hagan así, aprenderán esta lección: el respeto es recíproco. La gente tiene
más probabilidades de tener éxito en las relaciones personales y en las metas profesionales cuando respeta a las
personas con quienes trabaja y juega. ¡Qué gusto da
cuando los niños aprenden a respetar los límites y tienen
fronteras internas que guían su conducta! Así pueden
dedicar su tiempo a cultivar un carácter firme y no a inventar excusas para los problemas que han ocasionado.

"Pienso que es importante establecer y respetar los límites,
porque así no cavarás un hueco del cual no puedas salir".

— JULIE

¿A QUÉ NOS REFERIMOS CUANDO HABLAMOS
DE RESPETO?

o Respeto significa preocuparse por los derechos de los
  demás, incluso si ellos infringen los nuestros.
o Cuando se piensa acerca de otra persona en forma
  positiva, se demuestra respeto hacia ella.

○ Cuando tiene consideración por los sentimientos de los demás, una persona también demuestra respeto hacia sí misma. Ella está tratando a los demás de la manera como quisiera ser tratada.

○ El hecho de admirar a otra persona o los rasgos de otra persona es una muestra de respeto.

○ Cuando una persona tiene una buena autoestima, demuestra que también se respeta a sí misma.

CONOZCA A LA FAMILIA MEDINA

Oscar y Sara Medina se daban cuenta de que a su hija de trece años, Luisa, y a las mellizas de siete años, Catalina y Natalia, no les importaba responder groseramente a sus padres, usar la ropa de las otras sin pedir permiso e insultarse entre sí descaradamente. Los padres estaban tan molestos con esos actos rudos e insensibles, que ellos también se volvieron rudos e insensibles y las trataban de "estúpidas" y "locas" y, en ocasiones, las mandaban a su cuarto sin cenar. A medida que la ira de ellos aumentaba, aumentaban también las travesuras de sus hijas. Las niñas no se volvieron más respetuosas; de hecho, parecían tener menos respeto hacia sus padres y entre ellas que nunca antes. Oscar y Sara sabían que estaban librando una batalla perdida. Decidieron entonces que tenían que cambiar su actitud frente al respeto, si querían que sus hijas se comportaran mejor en lo referente a su familia, sus amigos y su comunidad.

HERRAMIENTAS DE ENSEÑANZA

Trate a los niños con respeto. "¡Los niños también son personas!" es una frase que usted debe de haberle oído decir a alguien. Tomar a pecho esta aseveración es el primer paso en la enseñanza del respeto a los niños. Si usted se exige diariamente tratar a sus hijos con respeto, como si fueran huéspedes en su hogar, les mostrará con su ejemplo que los tiene en alta estima. Esto no quiere decir, sin embargo, que deba olvidar las reglas. Los niños necesitan reglas y deben responder por su cumplimiento, pero usted puede presentar las consecuencias de la violación de las reglas de una manera respetuosa. Trate de recordar cómo se sentía a la edad de ellos, cuando tenía cuatro, ocho, diez o quince años, y que éste sea el primer paso para comprender que la definición de 'problema' es "algo que me preocupa a mí", incluso si a otra persona le parece trivial.

ADVERTENCIA: NO OFENDA A SU HIJO.

Cuando los padres se enfurecen con los hijos, es fácil concentrarse en lo que parecen ser los defectos del niño en vez de tratar el comportamiento en cuestión. Frases como "¡No seas estúpido!" o "¡No seas llorón!" son dos ejemplos de ofensa. Para evitar ofenderlo, piense en la conducta del niño y en cómo se puede cambiar. El cambio en el comportamiento finalmente conduce al cambio en el modo de ser.

Momento educativo

Cuando Sara Medina les sirvió a sus hijas un poco de jugo, una mañana, una parte se derramó en el momento en que Catalina y Natalia estaban pasando los panecillos. En el pasado, Sara les hubiera gritado por ser tan torpes, pero esta vez pensó en cómo habría manejado esa misma situación si hubiera estado sirviéndole a un amigo o vecino y él hubiera derramado algo accidentalmente. ¡Seguramente no les habría gritado ni dicho que eran torpes! Simplemente habría limpiado y reemplazado el líquido derramado.

— Siento que se haya derramado el jugo — les dijo a sus hijas —. Ahora debemos limpiar. Natalia, trae la esponja que está en el lavaplatos; y Catalina, trae unas toallas de papel. Limpiaremos esto en un momento.

No sólo las niñas se sintieron mejor respecto al incidente, sino también Sara. Obtuvo la prueba de que, cuando tomaba en consideración los sentimientos de sus hijas, mejoraba la cooperación y las relaciones con ellas. Recordó cómo se sentía cuando, de niña, derramaba cosas accidentalmente... y se alegró de que sus padres no la hubieran hecho sentir como una tonta cuando cometía un error. Esa era una lección que valía la pena transmitirles a sus hijas.

Enseñe a los niños a comprender la posición de los demás. Para tener respeto hacia otra persona, uno debe ser capaz de ver la vida desde el punto de vista de esa persona. Para enseñarles a sus hijos a pensar acerca del punto de vista o del papel de otra persona, es importante pedirles que se coloquen en el lugar de esa persona.

Momento educativo

Una noche, a la hora de acostarse, Natalia empezó a hablar sobre un problema que tenía con una amiga en la escuela. Oscar y Sara sabían que era tarde, ambos estaban cansados y querían estar solos un rato; pero también sabían que el problema de Natalia era importante y real para ella.

— Sentimos mucho que Juliana y tú no se estén llevando bien ahora. ¿Se te ocurre algo que pueda arreglar el problema? — le preguntaron.

Luego procedieron a ayudar a Natalia a buscar soluciones ayudándole a explorar sus opciones y a analizar los posibles resultados de cada opción. Natalia logró entonces dormirse, satisfecha de poder poner en práctica al día siguiente algunas ideas que podrían ayudar a que su amiga y ella pudieran continuar siendo las mejores amigas.

Elogie los actos amables y considerados. Para alentar a los demás a respetarlo a usted, es importante aprender a tratarlos a *ellos* con respeto. Fomente este aspecto de la amabilidad en sus hijos sugiriéndoles cosas amables que ellos puedan hacer por otras personas. Cuando vea que hacen algo bueno para otros, elogie su conducta, de manera que los niños puedan relacionar el respeto con la aprobación de usted.

ADVERTENCIA: NO SERMONEE.

El método de instrucción a través de largas charlas o sermones es la manera menos adecuada de enseñarles a sus hijos el respeto. Una larga charla crea una situación en la cual los niños pierden rápidamente el interés y, al sentirse aburridos, aprenden cómo no escuchar. En vez de dar una conferencia, dé ejemplo de lo que usted quiere que aprendan y establezca reglas y límites a su conducta.

Momento educativo

— Creo que necesitamos una nueva regla en nuestro hogar — dijo Sara un día en que las niñas habían estado discutiendo sobre quién se sentaría en la mejor silla para mirar su programa predilecto —. Todos los días cada una tendrá que realizar por lo menos dos actos amables por la otra. Entonces cada una verá cómo se siente de bien interiormente al ser respetuosa con los demás.

Sara escuchó en silencio las protestas proferidas por sus hijas en respuesta a su idea, y luego Natalia preguntó cautelosamente:

— ¿Y qué ocurre si no somos amables la una con la otra?

— Me alegra que hayas hecho esa pregunta, porque había dejado de lado la parte buena — respondió Sara —. Vamos a usar la "regla de la abuela": cuando hayan hecho lo que tienen que hacer, entonces podrán hacer lo que quieran hacer. Para aplicar esta nueva regla, podrán hacer mañana lo que quieran, si hoy hacen dos cosas amables la una por la otra. Si eligen no hacerlo así, entonces eso significará que han elegido no hacer mañana lo que quieran.

— Eso no es justo — gritaron al unísono las niñas, una de las pocas cosas que habían hecho en colaboración desde hacía un buen tiempo.

—Comprendo lo que sienten, pero la regla queda en pie — les informó pacientemente Sara —. Recuerden que a partir de hoy deben hacer dos cosas amables la una por la otra a fin de que puedan hacer mañana lo que quieran. Y para que yo pueda saber si así lo hicieron, al final del día le pediré a cada una que me cuente qué hizo la otra por ella.

Al usar la regla de la abuela (si haces *x*, puedes hacer *y*), que ofrece privilegios diarios como recompensa por una conducta apropiada, y solicitarle a cada cual que informe sobre el otro, se reafirma la importancia de este comportamiento positivo y se le presta mayor atención que al comportamiento negativo. Además, hacer saber a los niños las consecuencias de cumplir (o quebrantar) la regla, les permite asumir la responsabilidad de sus decisiones.

Más tarde ese día, Sara observó que Catalina le preguntaba a Natalia si quería algo de la cocina, pues iba a tomar un refrigerio.

— Preguntarle a Natalia si quería algo demostró que la respetabas tanto como para querer hacer algo por ella. Estoy segura de que el hecho de que hayas tenido la consideración de preguntar la hizo sentirse bien y apostaría que tú también te sentiste bien — comentó la madre.

Al describir el comportamiento al mismo tiempo que lo elogiaba, Sara no dejó ninguna duda acerca de sus expectativas en lo referente a respetar a los otros, y entregó, además, el codiciado sello de aprobación.

Dé ejemplo de actos respetuosos. Los adultos pueden dar ejemplo de conducta respetuosa estableciendo los siguientes hábitos sencillos de respeto no sólo de usted para con sus hijos, sino también entre ellos: emplear buenos modales, solicitar permiso antes de hacer cosas como cambiar el canal de la televisión, respetar la intimidad y escuchar con atención a alguien cuando esté hablando. Una vez que usted adquiera conciencia de la importancia de ser sensible a las necesidades de los demás, quedará sorprendido de cuán fácil es optar por ser respetuoso con quienes están cerca de su corazón.

Momento educativo

Cuando Oscar sabía que llegaría tarde al regreso de su trabajo, siempre llamaba. Sara aprovechó la oportunidad para señalar a sus hijas este acto de respeto:
— Su papá siempre me avisa cuando va a llegar tarde — dijo, orgullosa, demostrando cuánto significaba eso para ella —. ¿No es amable de su parte? Él no quiere que nosotras nos preocupemos.
Un simple comentario fue todo lo que necesitó Sara para recalcar el comportamiento respetuoso que su esposo tenía con ella.

Escuche a sus hijos. En la cultura popular encontramos ejemplos de que "escuchar" es una habilidad importante desde cuando el primer secreto fue contado con la advertencia "¡No lo diga!" Desde los compositores de canciones hasta los terapeutas sexuales, todos saben que escuchar es crucial para entablar relaciones confiables. De hecho, la mejor manera de dar ejemplo de respeto es escuchando a los demás. Cuando sus hijos hablen, mírelos a los ojos y escuche lo que tengan que decir. Luego repita lo que dijeron, en las propias palabras de usted, para que sepan que los escuchó. Elogie las buenas ideas y los pensamientos constructivos que tengan, de manera que sepan que usted siente respeto por lo que han dicho. Si los pensamientos no tienen sentido o se han encaminado en una dirección que usted preferiría que no tomaran, pase por alto los comentarios o replantéelos en la forma en que usted piensa que hubieran debido ser planteados. Así usted estará proporcionando un modelo de la forma en que sus hijos deben comunicar lo que piensan, hoy y en el futuro.

Momento educativo

Oscar estaba mirando el juego de pelota en la televisión cuando Catalina se le acercó y le pidió ayuda para hacer su tarea.

— Papá, ¿puedes ayudarme con este problema?

Oscar no quería ayudar a hacer tareas; quería mirar el partido y sintió que su irritación iba en aumento.

— ¡Espera un momento, Catalina! ¿No te das cuenta de que estoy mirando este partido? ¿No puedes esperar? — gritó. Pero cuando vio la mirada de desilusión en los ojos de su hija, dejó de pensar en sí mismo y trató de ponerse en el lugar de la niña. Comprendió que su reacción le demostraba a Catalina que no tenía mucho respeto por su necesidad de ayuda.

— Lo siento, mi amor, sí puedo ayudar. Espera, déjame bajar el sonido para que el partido no nos distraiga. Ahora, ¿cuál es el problema? — preguntó, cambiando de actitud. Rápidamente terminaron de resolver el problema, y él pudo volver a ver el partido mientras Catalina se fue a terminar su tarea, contenta de la atención y la información que le había proporcionado la sesión de trabajo con su padre.

Más tarde, Natalia estaba tratando de explicar algo que había ocurrido en la escuela:

— Entonces, en el patio de recreo, María me trató como si yo no estuviera allí — se lamentó —. La odio.

— ¿Estás diciendo que ella pretendió que tú no estabas allí para no tener que jugar contigo, y que la odias por no jugar contigo? — preguntó Oscar, recordando el taller de "Escuchar activamente" que habían realizado recientemente en la empresa donde trabajaba.

— Pues, no — respondió Natalia, al reflexionar sobre lo que había dicho Oscar —. Realmente no la odio por no jugar conmigo. Sin embargo, fue odioso de su parte pasar por alto mi presencia, ¿no crees?

— Hubiera sido amable si no te hubiera pasado por alto y te hubiera dicho que quería jugar con otra persona, pero no lo hizo — respondió Oscar —. ¿Cómo habrías tratado a María si ella hubiera estado cerca y tú hubieras querido jugar con otra persona?

— No lo sé — respondió Natalia —. Supongo que se lo hubiera dicho, pero no hubiera querido herir sus sentimientos. Sé que no la habría pasado por alto.

La conversación derivó hacia otros temas, y Oscar estaba complacido de haber podido escuchar a sus dos hijas ese día y ayudarles a pensar en los problemas que tenían. Sabía la importancia de estar a disposición de sus hijas aunque le resultara difícil dedicarles tiempo.

Respete la intimidad de los niños. Para que los niños puedan entender el significado de la palabra *intimidad*, es importante que los padres les permitan tener su propia intimidad y la respeten. Actos tan simples como llamar a la puerta y pedir permiso para entrar antes de ingresar al cuarto de un niño expresan el sentimiento de que usted respeta sus posesiones y su espacio, al igual que su necesidad de que éstos estén separados de los del resto de la familia.

ADVERTENCIA: NO VIOLE EL ESPACIO PRIVADO.

Por más difícil que le resulte permitir que sus hijos tengan sus propios "secretos", las violaciones de su espacio privado, tales como husmear en sus cuartos, escuchar sus conversaciones telefónicas, leer notas de y para sus amigos y entrar sin llamar primero, son todos actos que violan la intimidad y la confianza. Frente a dichas violaciones, es imposible para los niños confiar en los adultos y aprender que respetar la intimidad es importante.

Momento educativo

Cuando Luisa cumplió trece años, pareció volverse distante y reservada. A Sara le hacían falta las confidencias que su hija siempre le había hecho y tenía miedo de que estuviera haciendo algo indebido; pero no sabía cómo descubrir qué era lo que realmente estaba haciendo. Entonces, un día se le presentó la oportunidad de averiguarlo. Encontró una de las muchas notas que Luisa y sus amigas intercambiaban permanentemente, caída en el piso junto a la canasta de la ropa. Sara se paralizó; sabía que simplemente debía dejarla ahí, en el suelo, en vez de devorarla, como deseaba.

Finalmente, su curiosidad se impuso. Recogió la nota, la abrió y la leyó. Sara quedó asombrada del lenguaje que usaba la amiga de Luisa en la nota, pero, para alivio suyo, no encontró nada que la preocupara. Sin embargo, sus sentimientos de paz se vinieron abajo en seguida cuando Luisa irrumpió en el cuarto y la sorprendió en el acto de espionaje.

— ¡Mamá! ¿Estabas leyendo esa nota? — gritó Luisa —. ¿Cómo pudiste hacerlo?

— Luisa, lo siento mucho — balbuceó la madre —. Sé que no he debido. Fue una invasión a tu intimidad. Por favor, perdóname. No lo volveré a hacer, lo prometo.

Esta "primera ofensa" de la madre les enseñó a ésta y a la hija una lección valiosa: respetar la intimidad ajena es importante para mantener una relación entre dos personas sana y confiable.

Dé ejemplo de respeto a la intimidad en su familia. Cuando los adultos les demuestran a los niños que respetan las posesiones de cada cual y su tiempo privado, sus hijos tienen un modelo concreto que imitar cuando se les pide que respeten las fronteras de los demás.

Momento educativo

Oscar y Sara siempre respetaron la necesidad de cada uno de tener su propio espacio. Nunca abrían la correspondencia del otro, se abstenían de preguntar quién estaba al otro lado de la línea telefónica al terminarse una conversación y siempre pedían permiso para usar las posesiones del otro. Como no era claro para ellos si sus hijas tenían idea del respeto que se debe observar ante las fronteras de los demás, aunque *ellos* sí lo observaran, Oscar y Sara decidieron llamar la atención de sus hijas acerca de su comportamiento (lo cual anteriormente habían dado por descontado).

— Mmmmm, un paquete para tu madre. Me pregunto qué será — dijo Oscar a sus hijas al poner la correspondencia sobre el aparador de la cocina.

— ¡Dámelo, déjame abrirlo! — gritó Catalina ansiosamente —. ¡Quiero saber qué es!

— No, no podemos abrirlo. El paquete pertenece a tu madre y no estaría bien violar la intimidad de ella en esa forma — explicó Oscar.

— ¿Por qué no? — intervino Luisa —. Todos pertenecemos a la misma familia. Lo suyo es nuestro, ¿no es así?

— Sí, somos de la misma familia, pero ése no es el punto. Aunque todos vivimos juntos, debemos respetar la intimidad de cada cual — le explicó su padre —. ¿Cómo te sentirías si abriéramos tu correspondencia? Es lo mismo.

— Sí, supongo que sí — respondió Natalia —. Pero todavía quiero saber qué hay en el paquete.

— Si tu madre quiere que sepas, te lo dirá.

De esta manera terminó Oscar la lección, otorgándole a su verdadero dueño la responsabilidad de renunciar a la intimidad.

Permita que sus hijos dispongan de tiempo para sí mismos. A menudo los niños necesitan estar solos durante un rato para reflexionar sobre sus experiencias, manejar aquéllas que sean confusas o molestas, o simplemente para jugar con sus juguetes favoritos o con los objetos que coleccionan. Esto es particularmente cierto en el caso de los niños que están entrando en la adolescencia o que ya están en ella. Crearles "un tiempo para estar solos" cuando son pequeños les ayuda a comprender la necesidad de pasar algún tiempo entreteniéndose por sí mismos y les enseña que los padres también necesitan tiempo para ellos. Para los niños pequeños, un tiempo de reposo que reemplace el tiempo de la siesta puede ser una buena iniciación para que dispongan de un determinado tiempo solos. Si ayudamos a los niños a inventar actividades interesantes para pasar su tiempo solos, éste resultará menos aburridor y desperdiciado.

Momento educativo

Cuando Catalina y Natalia tenían cuatro años, Sara decidió mantener la hora de la siesta incluso después de que sus hijas dejaron de necesitarla. Cambió la hora de la siesta por "la hora del reposo" y fomentó actividades independientes durante este rato de tranquilidad, aun cuando sus hijas querían que las entretuviera.

— ¡Quiero mirar televisión! — exigió Catalina un día en que su madre les dijo a ésta y a Natalia que era la hora del reposo.

— Lo siento — respondió la madre enfáticamente —. Sé que preferirían que yo jugara con ustedes, pero pueden buscar algo divertido que hacer. Y cuando ustedes se hayan entretenido a sí mismas durante una hora, entonces podrán mirar televisión, salir a jugar o ayudarme a preparar galletas. Necesito un rato de tranquilidad y creo que tú y Natalia también. Las veré dentro de una hora.

El hábito de la hora del reposo se trasladó a los fines de semana, cuando las niñas estuvieron más ocupadas en sus actividades postescolares. A Sara también le gustaba disponer de un tiempo para sí misma, pues éste le permitía pensar en su día o en la noche próxima, y en algunos casos, poder cocinar sin ser interrumpida. Ella realmente valoraba su intimidad y se sentía más satisfecha y feliz al saber que su familia también la valoraba.

Fomente el espacio privado. Los niños necesitan tener un espacio privado que consideren suyo. Este espacio privado puede ser tan pequeño como una caja de zapatos en donde guarden aquellas cosas que consideran especiales, o tan grande como un casa en un árbol o un cuarto de juegos. En la adolescencia, el cuarto del niño puede convertirse en el más privado de los santuarios. Al darles a sus hijos un espacio privado, les está enseñando que la intimidad es especial y merece respeto.

Momento educativo

Natalia era coleccionista de cualquier cosa que considerara importante, cualquiera que fuese la opinión de los demás al respecto. Guardaba sus colecciones en un conjunto de cajas de zapatos, en una repisa. Luisa pensaba que las colecciones de Natalia eran cosas estúpidas, y a menudo se burlaba de ellas, para consternación de sus padres.

Un día en que Natalia se había portado particularmente mal con ella, Luisa fue al cuarto de Natalia y desocupó las cajas de zapatos en el cesto de los papeles.

—Sólo era basura, ¿sabes?—le dijo burlonamente a Natalia, cuando descubrió lo que su hermana mayor había hecho.

Cuando Natalia le contó a su padre lo ocurrido, él se llevó a Luisa aparte para explicarle el daño que había causado.

— ¿Cómo te sentirías si Natalia hubiera entrado en tu cuarto y hubiera echado a la basura todos tus cosméticos, o hubiera leído tu diario o las notas de tus amigas?

— ¡Ese pequeño reptil!—chilló ella—. Es mejor que no se atreva a hacerlo nunca. La mataría.

Sin necesidad de más conversación, Luisa comprendió que no debía hacerle algo a su hermana que no le gustara que le hicieran a ella.

— Está bien, papá, lo siento. Iré a disculparme. Comprendo cómo se siente.

— Estoy seguro de que apreciará tus disculpas, Luisa — dijo el padre —. Es más: como tenemos normas sobre violación a la intimidad, tendrás que responder por haber violado la suya. Tendrás que hacer las labores domésticas de Natalia durante una semana, y espero que, en adelante, respetarás más la intimidad de los demás.

Al ayudar a Luisa a comprender los sentimientos de su hermana y encontrar una manera de que pudiera desagraviarla por lo que le había hecho, Oscar no sólo recalcó la necesidad de respetar la intimidad de los demás sino también le enseñó a su hija la lección de que, cuando se viola la intimidad, hay que pagar un precio.

"Existe cierto límite con toda persona; una vez que se traspasa, puede ser muy difícil devolverse".
— Shauna

Permita que las leyes de la privacidad se arraiguen en sus hijos. Para ilustrar plenamente la necesidad de las personas de respetarse entre sí, los padres deben establecer y mantener normas, para que se sepa en dónde empiezan y acaban las fronteras. Normas tales como "Llame antes de entrar" y "Pida permiso antes de tomar prestada una cosa" son importantes porque marcan límites. Para reforzar el cumplimiento de dichas normas conviene escribirlas y fijarlas en la pared, para que todos los miembros de la familia las vean, elogiar la conducta de los niños cuando las siguen y establecer qué consecuencias negativas acarreará su quebrantamiento.

Advertencia: No imponga fuertes castigos por violación de la privacidad.

Cuando los niños violen la privacidad, un castigo exagerado sólo producirá ira y pérdida de respeto hacia el adulto que lo impone. Cuando los niños pierden el respeto hacia los adultos, tienden a no querer seguir las normas ni el código de conducta que los padres están tratando de enseñar.

Momento educativo

— Catalina me ha estado espiando cuando me cambio de ropa — se quejó Luisa a su madre —. ¡Haz que el pequeño reptil no lo haga más!

— Catalina no debería estar invadiendo tu intimidad en esa forma. Le hablaré — la consoló su madre —. Fue al cuarto de Catalina y llamó a la puerta. Cuando Catalina le dio permiso de entrar, Sara le habló sobre su invasión a la intimidad de Luisa.

— Luisa está furiosa porque has estado colándote en su cuarto para espiarla mientras se viste — empezó a decirle sosegadamente —. Comprendo tu curiosidad, pero estás invadiendo su intimidad. Tú sabes cómo te has puesto de furiosa cuando te ha visto en ropa interior. Pues bien: lo mismo siente ella. Por favor, demuestra respeto al derecho de tu hermana a la intimidad.

Sara le explicó nuevamente la norma familiar a Catalina (respetemos la intimidad de los demás) y le recordó que ese respeto incluía no entrar al cuarto de alguien cuando la puerta estuviera cerrada.

— Puesto que violaste su intimidad, tienes que desagraviarla haciendo sus labores domésticas durante el resto de la semana — prosiguió Sara —. Después de esto, espero que tendrás tanto respeto por su intimidad como el que deseas para ti.

Establezca y haga cumplir las normas. La esencia del aprendizaje del respeto a los demás reside en la capacidad de acatar y cumplir las normas. Infortunadamente, los niños no llegan al mundo con su propio conjunto de normas.

Por lo tanto, los padres deben ser los primeros en establecerlas. A fin de establecer normas de conducta para los niños, exponga lo que usted quiere que sus hijos hagan. Estas normas sobre "qué hacer" les fijan a sus hijos metas para una conducta apropiada. Una vez que las normas estén definidas, permita que éstas se sostengan por sí mismas, haciendo que sean un foco no emocional que pueda soportar las protestas de sus hijos. Si *usted* se convierte en la norma, entonces sus hijos lo verán como la persona a quien hay que poner a prueba. Hacer cumplir las normas implica simplemente que su cumplimiento sea la clave para conseguir todos los privilegios.

ADVERTENCIA: NO IMPONGA CASTIGOS SEVEROS POR VIOLACIÓN DE LAS NORMAS.

Cuando los niños no siguen las normas, los padres piensan a menudo que deberán sancionarlos por su comportamiento impropio imponiéndoles un castigo severo. Sin embargo, este plan casi siempre fracasa. En vez de ayudarles a recordar las normas, un castigo severo les produce resentimiento y los hace pensar en vengarse, en vez de pensar en las reglas y en cómo seguirlas. Para ayudar a los niños a comportarse dentro de los límites, exija el cumplimiento de las normas en su hogar y permita que las consecuencias naturales de no hacerlo, tales como perder privilegios, actúen como recordatorio.

Momento educativo

Oscar y Sara decidieron que debería haber algunas normas básicas que gobernaran el comportamiento de sus hijas en el hogar. Una de las más importantes se refería a las peleas permanentes entre sus hijas. Catalina parecía querer dominar a su hermana y a menudo exigía que Natalia se levantara cuando quería sentarse en el asiento en que Natalia se sentaba siempre a la mesa. Catalina también exigía control total sobre la elección de los programas de televisión que veían. Natalia estaba tan acostumbrada a los abusos de Catalina, que siempre se defendía sin pensar que podía estar hiriendo a su hermana.

— Tenemos una nueva regla — les comunicó Sara a sus hijas —. La norma es que tienen que llevarse bien entre sí. Si se llevan bien, pueden hacer lo que quieran. Si optan por no llevarse bien, entonces tendrán que "ir al rincón". ¿Comprenden?

— ¿Quieres decir que si la tonta de Natalia no hace lo que yo quiero, entonces tengo que "ir al rincón"? — preguntó Catalina.

— Todo lo que tienen que hacer es llevarse bien entre sí. Si por cualquier razón optan por no hacerlo, ambas tendrán que "ir al rincón". ¡Esa es la norma! — respondió Sara, pasando por alto el trato de tonta que le había dado Catalina a su hermana, para concentrarse en la norma que debían cumplir.

A medida que avanzaba el día, Sara cumplió el propósito de recordar a las niñas la norma de "llevarse bien", elogiando el hecho de que se estuvieran respetando mutuamente.

— ¡Cómo se están llevando de bien! — les dijo cuando las vio balanceándose en el patio trasero. Pero más tarde ocurrió lo inevitable. Natalia llegó corriendo a donde su madre, quejándose de que Catalina la había golpeado por no haberle dado el control remoto del televisor.

— Lo siento. Ambas optaron por no llevarse bien. Catalina, irás "al rincón" aquí. Natalia, quiero que te sientes en la cocina — dijo Sara.

— Pero yo... — empezó a decir Catalina, mas Sara la interrumpió.

— Catalina, la norma era llevarse bien — dijo Sara con tranquilidad —, y tú optaste por no cumplirla. Sabías la norma. Ahora tienes que ir "al rincón".

Las niñas pasaron el tiempo aisladas a regañadientes, pero en las semanas siguientes Oscar y Sara notaron que las peleas entre ellas se habían desvanecido. La recompensa positiva de poder hacer lo que querían cuando se llevaban bien fue la motivación que necesitaban para respetar los límites de comportamiento dentro del hogar.

Fomente el respeto al cumplimiento de las normas. Cuando los niños han cumplido las normas, es importante llamar su atención sobre este hecho mediante elogios verbales cálidos y afectuosos. Cuando usted elogia la conducta de sus hijos, ellos se concentran en las recompensas positivas de haber hecho lo que motivó el elogio, y quieren volverlo a hacer.

Advertencia: No dé recompensas tangibles.

Los niños que son recompensados con caramelos, juguetes y otros objetos tangibles por seguir las normas o por respetar los límites llegarán a creer que se les debe pagar algo por su buen comportamiento. Las normas de comportamiento que los niños siguen deben ser aceptadas internamente y recompensadas por los buenos sentimientos.

Momento educativo

Sara se sintió complacida cuando vio que Natalia había recordado hacer su cama antes de ir a desayunar. Hacer esto era una nueva norma para las niñas, y Sara no estaba segura de que la seguirían.

— Natalia, hiciste tu cama esta mañana. Eso fue muy atento de tu parte. Me ayudaste, porque así no tendré que hacerlo yo misma y en cambió podré hacer otras cosas. Muchas gracias por recordar la norma — dijo Sara.

Más adelante, esa semana, notó que también Luisa estaba haciendo su cama regularmente, algo que Sara francamente no esperaba que hiciera. Luisa había oído el elogio que su madre le había hecho a Natalia y quería llamar también su atención.

— Luisa, estás demostrando gran responsabilidad al cumplir la norma de hacer la cama — anotó Sara —. Eso me ayuda mucho. ¡Muchas gracias!

Hábleles a los niños sobre los sentimientos de los demás. Para poder entender la necesidad de tener límites internos y adquirir buenos modales, los niños deben ser capaces de pensar en los sentimientos de los demás. Para ayudarles a aprender cómo su conducta puede afectar a esos sentimientos, es importante recalcar cómo pueden sentirse los demás cuando ellos se portan de cierta manera. Para enseñarles a sus hijos cómo se sienten los demás, hábleles sobre el impacto que el comportamiento de ellos produce en usted y en otras personas.

Momento educativo

Sara y sus hijas estaban haciendo compras en un centro comercial cuando notaron que un anciano tenía problemas para subirse a las escaleras automáticas. Catalina se rió y dijo:

— ¡Miren a ese pobre tipo! ¡No puede caminar!

— Catalina, dijiste algo muy poco amable — le dijo Sara —. ¿Cómo piensas que se sentiría él si hubiera oído lo que dijiste? Y ¿si hubiera sido tu abuelo? ¿Te gustaría que la gente dijera cosas así de él?

— Pues, no — respondió Catalina ásperamente —. ¡Él no pudo oír lo que yo estaba diciendo, mamá!

— Establezcamos una norma — contestó Sara, muy seria —. Antes de decir algo, pensemos en cómo podría sentirse la gente si lo dijéramos, incluso si pensamos que esa persona no puede oírlo. Así evitaremos decir algo que pueda herir los sentimientos de alguien.

Fomente los buenos modales. Los modales son simplemente actitudes concebidas para ayudar a los demás a sentirse bien. Ayudan en la interacción social al proporcionar pautas y límites para el comportamiento. Para que sus hijos comprendan y respeten los límites sociales impuestos por los modales, necesitan saber cuáles son los límites y el impacto que los malos modales tienen sobre la gente.

Momento educativo

A la hora de la cena, Catalina tenía el mal hábito de eructar. Pensaba que era algo muy gracioso, y esa idea era reforzada algunas veces por sus hermanas, su padre, o alguna de sus amigas, quienes se reían cuando lo hacía. Entonces, un día Catalina llegó a casa de visitar a una amiga y le preguntó a su madre por qué la madre de su amiga le había dicho que era mala educación eructar en la mesa.

— Estábamos almorzando y yo eructé. La señora Bernal dijo que era mala educación, y que yo no podía hacer eso mientras estuviera comiendo en casa de Lucía.

Obviamente, Catalina estaba confundida por la discrepancia en las normas.

Oscar y Sara decidieron que habían sido demasiado indulgentes al establecer los límites para sus hijas, y que era tiempo de enseñarles los modales apropiados en la mesa antes de que los padres de sus amigos les prohibieran comer en sus casas. Empezaron con las reglas de los buenos modales en la mesa.

— Aquí están las nuevas normas que se deben observar en la mesa — anunció Oscar —. Cuando las practiquemos, nos sentiremos bien con nuestro comportamiento, y los demás se alegrarán de estar con nosotros. Éstas son algunas de las normas que las damas y caballeros de todo el mundo practican.

Primero, todos debemos sentarnos derechos a la mesa. Luego, tenemos que recordar masticar con la boca cerrada. Cuando hablemos, debemos tener la boca desocupada, y no se debe eructar en la mesa.

— ¿Qué ocurre si no hacemos eso? — preguntó Natalia, para saber los límites de estas normas. ¡Eran tantas!, pensó.

— Los que puedan seguir las nuevas normas sobre los modales podrán permanecer en la mesa con la familia. Los que no puedan, tendrán que comer solos en la cocina — respondió Sara —. Y vamos a hacer un concurso para ver quién puede seguir el mayor número de normas sobre el comportamiento en la mesa. He aquí una lista de las normas, para que no las olviden. Las leeremos todas las noches hasta saberlas de memoria.

— Cuando todos hayamos seguido durante dos semanas las normas sobre los modales, saldremos a cenar. Sé cuánto les gustaría hacerlo — agregó Oscar.

Los modales mejoraron notablemente en el hogar de los Medina, sin necesidad de que "los que impusieron las normas" tuvieran que regañar y quejarse. Las normas estaban establecidas y *ellas* imponían el ritmo al comportamiento. El papel que Oscar y Sara representaron fue el de "maestros del elogio", alabando a sus hijas cada día por seguir las normas sobre los modales.

"No se puede estrechar la mano con el puño cerrado".
— INDIRA GANDHI

9

LEALTAD

"Un amigo es un regalo que usted se da a sí mismo".
— ROBERT LOUIS STEVENSON

leal. *ad.* Se aplica a la persona incapaz de cometer falsedades, de engañar o de traicionar, así como a sus palabras o actos. Fidedigno, verídico, legal y fiel, en el trato o en el desempeño de un oficio o cargo.

o "¡Pero, mamá! Él es mi amigo y necesita mi ayuda".
o "Sí, papá, lo haré. Lo prometo".
o "Adquirí el compromiso de hacer esto, y voy a hacerlo".
o "Sí, sé que no debo pelear, pero no podía dejar que le hicieran eso a mi hermano".

"SEA FIEL A SU ESCUELA, tal como es fiel a su novia", escribieron los Beach Boys en una canción de 1960. Los mensajes de esta canción son sanos y reconfortantes, porque evocan un sentido de apego, de propósito y de pertenencia. La gente necesita estar vinculada con su entorno, ya sea con los seres humanos, su lugar de trabajo, su colegio o ¡sus mascotas! Esta norma de comportamiento humano es poderosa. Si nos sentimos bien con las cosas a las cuales estamos apegados, entonces nos sentimos bien con nosotros mismos gracias a esos apegos.

Las lecciones sobre la lealtad comienzan con el primer vínculo seguro que un bebé establece con un adulto que lo cuida, y se fortalecen a través de aquellos vínculos que crean para el niño un sentido de familia. Pero aprender a ser leales a nuestra familia es sólo la introducción a estas lecciones. Para ampliar la definición de lealtad aprendida en la familia y poder incluir aquellas cosas y personas de la sociedad que nos importan (los pobres, los que no tienen hogar, los menos afortunados, los enfermos) se requiere estar dispuesto a hacer sacrificios por los demás, por lo mucho que nos importan. La capacidad de comprometernos con el bien de la humanidad en general, sin olvidar que la lealtad comienza en casa, es la base que sostiene estos sentimientos magnáni-mos.

¿A qué nos referimos cuando hablamos de lealtad?

o   Una persona leal cumple las promesas que hace.
o   La lealtad implica aprender a preocuparse tanto por la gente como por mantener nuestros compromisos con ella.
o   En algunos casos, la lealtad significa hacer sacrificios en beneficio de los demás.
o   La lealtad entraña ser fiel a una causa.

Conozca a la familia Suárez

Tanto David como Helena Suárez, padres de un niño de seis años, Jorge, y una niña de diez, Adriana, trabajaban fuera del hogar. A sus hijos les encantaba la escuela elemental de su vecindario, en donde Helena cooperaba activamente con la Asociación de Padres de Familia, y David formaba parte del Club de Padres e Hijas. Un día, Adriana le contó a su familia que unos niños estaban cometiendo actos de destrucción en la escuela y el vecindario.

— No se están portando muy lealmente con su escuela, ¿no es cierto? — comentó David.

— Ni con el vecindario — agregó Helena —. Si les importara el lugar donde viven y donde estudian, no lo estarían destrozando.

— ¿Qué quieres decir? — preguntó Jorge, con curiosidad. Jorge vivía ávido de información sobre todo, y a sus padres les complacía alimentarlo con respuestas, particularmente respuestas sobre virtudes importantes, como la lealtad.

"Aprecie las propiedades de los demás".
— Jessica

Herramientas de enseñanza

Dé ejemplo de lealtad. Para ayudar a los niños a entender cómo ser leales, es necesario señalar los actos de lealtad tan a menudo como sea posible. Cumplir las promesas y compromisos y participar en las labores familiares que ayudan a mantener la familia organizada y "funcionando", son maneras de presentar un modelo de lealtad. Asistir a las celebraciones del colegio o participar en eventos de solidaridad nacional son dos formas sutiles de transmitir a la nueva generación un mensaje en cuanto a la "lealtad a las instituciones".

Advertencia: evite demostrar deslealtad.

Los niños en quienes se está fomentando la lealtad hacia los amigos y las instituciones pueden tener dificultad para entender la dualidad de criterios, si ven a sus padres criticando a esos mismos amigos o entidades. Hablar sobre los parientes, los cónyuges anteriores y los amigos de la familia en forma negativa implica cierto grado de deslealtad, y criticar abiertamente a los profesores y demás personas con autoridad a quienes sus hijos son leales sólo socavará las lecciones que usted quiere que aprendan.

Momento educativo

— Prometí ir hoy a casa de Luis para ayudarle a cambiar los frenos de su automóvil — le dijo David a Helena, el sábado por la mañana, mientras desayunaban.

— Pero queríamos que estuvieras con nosotros hoy — se quejó Adriana, al oír la conversación —. Ahora no te veremos en todo el día.

— Sí, mi amor, lo sé — respondió David, pero prometí ayudarle a Luis. Al fin y al cabo, es mi amigo y creo que debo ser leal con él cuando necesita algo.

— Tu padre tiene razón — lo apoyó Helena. Mañana podremos estar con tu papá todo el día. Hoy debe ayudar a su amigo.

Fomente el compromiso familiar. Los niños con fuertes lazos familiares aprenden acerca de la lealtad a la familia al poner las necesidades de ésta por encima de las suyas. Una forma importante de ayudar a los niños a fortalecer los lazos con su familia es establecer deberes familiares. Para ayudar a sus hijos a crear y mantener fuertes lazos familiares, haga una lista de labores para cada uno e insista en que esas labores se realicen. Explique a sus hijos cómo son de importantes esos esfuerzos para el bienestar de la familia, de manera que adquieran la sensación de que son necesarios.

ADVERTENCIA: EVITE CASTIGAR A LOS NIÑOS POR NO REALIZAR LAS LABORES.

Los niños no aprenden a ser leales a su familia a través del castigo, porque el castigo les produce ira y resentimiento. Antes que castigar, utilice la "regla de la abuela" que exige que los niños hagan lo que tienen que hacer antes de poder hacer lo que quieren hacer. Al no poder disfrutar de privilegios mientras no realicen las labores, los niños no sólo tienen la libertad de demostrar su lealtad a la familia, sino que además aprenden a no posponer los deberes.

Momento educativo

Cuando Helena notó que Jorge y Adriana no estaban realizando sus labores diarias, decidió que era un buen momento para hablar sobre la lealtad a la familia.

— Realmente necesito su ayuda para mantener el buen funcionamiento del hogar — dijo Helena —. Cuando ustedes descuidan sus labores, yo tengo que realizarlas. A fin de que nuestra familia pueda disponer de tiempo para recrearse, todos tenemos que trabajar juntos y ayudarnos. Ayudar es algo que nos debemos los unos a los otros.

— Pero no nos gusta hacer todo ese trabajo — dijo Jorge con franqueza —. No es divertido trabajar todo el tiempo.

— Comprendo lo que sienten — respondió Helena —. Pero necesito su ayuda. Les propongo una cosa: cuando hayan terminado sus labores diarias, podrán hacer lo que quieran.

— ¿Quieres decir que no podemos ver televisión, ni jugar con nuestros amigos, ni hacer nada hasta que hayamos terminado nuestras labores? — preguntó Adriana —. ¡Eso no es justo!

— ¿Es justo que ustedes formen parte de esta familia y, sin embargo, no tengan que hacer nada para ayudarla? — preguntó Helena —. No creo que ése sea un sistema muy eficiente para manejar esta familia.

Los niños rezongaron, pero las labores se realizaron diariamente y Helena fue profusa en elogios por su cooperación.

— Muchas gracias por la ayuda que le están prestando a la familia. Están demostrando una gran lealtad — les dijo.

Al presentarles la necesidad de ayudar a la familia

como la razón para realizar las labores domésticas, Jorge y Adriana comprendieron que hacerlas era una parte importante de la vida familiar, no sólo una pérdida de tiempo, como lo pensaban anteriormente.

"Mis padres se inventaron aquello de que nuestra familia es un 'equipo', y cuando alguien de la familia está en problemas, todos tratamos de ayudarle".

— KATIE

Enseñe a los niños a ser leales a los demás al igual que a sí mismos. Para que los niños continúen manteniendo una conducta que refleje lealtad, necesitan recibir retroalimentación positiva cuando demuestran lealtad. Un buen elogio entraña referirse al comportamiento específico y relacionar ese comportamiento con el concepto que usted está tratando de enseñar.

Momento educativo

Cada vez que Helena o David veían que sus hijos estaban haciendo algo que reflejaba lealtad, no dudaban en señalarlo. Un día en que Adriana tenía como invitada a una amiga, Juana, ésta dijo:

— ¡Tú hermano es un payaso! ¿Cómo puedes soportarlo?

Adriana respondió a este improperio diciendo:

— Él es mi hermano y somos una familia. Si a ti no te gusta, es asunto tuyo.

Cuando Juana se fue, David dijo:

— Adriana, oí cómo respaldaste a tu hermano hoy. ¡Cómo me alegró ver tu lealtad a la familia!

"Si usted no puede ser leal a usted mismo, no puede aprender a ser leal a los demás".

— Tanner

Ayude a los niños a ponerse en el lugar de los demás. Cuando los niños se ponen en el lugar de otra persona, aprenden a mirar el mundo desde esa perspectiva. Esa nueva visión les ayuda a volverse más sensibles respecto a lo que les ocurre a los demás... y más leales a sus sentimientos.

Momento educativo

Un día, Jorge llegó llorando en busca de su madre, porque Adriana le había contado a su amiga que él se había orinado en la cama hasta el año pasado. Después de tranquilizarlo y convencerlo de salir a jugar, Helena buscó a Adriana.

— Tengo entendido que le contaste a tu amiga que Jorge se orinaba en la cama. ¿Cómo crees que eso lo hizo sentirse?

— No sé — respondió Adriana —. Supongo que lo hizo sentirse mal.

— Estoy segura de que así fue. Al contar esa información privada, perdiste la confianza que tu hermano había depositado en ti para que ese problema se mantuviera en familia. Jorge es tu hermano y merece tu lealtad. Debido a que hiciste algo que lo hirió, tendrás que desagraviarlo y realizar las labores que le corresponden a él hoy.

Enseñe a los niños a cuidar su entorno. Cuando los niños se interesan en lo que los rodea, están demostrando lealtad hacia su comunidad. Enseñe a sus hijos cómo pueden cuidar su hogar, su colegio y su comunidad en general. Cuénteles cuánto más durarán las cosas cuando se cuidan apropiadamente, y cómo dañar las cosas no sólo cuesta dinero, al tener que repararlas, sino que, si llegan a destruirse, las posibilidades de que las disfruten los demás también desaparecen.

Momento educativo

Cuando los niños comentaron acerca de los *graffiti* y la basura del parque del barrio, los Suárez decidieron que podían demostrarle a la comunidad su lealtad asumiendo como trabajo familiar la limpieza del parque. El sábado llevaron bolsas de basura al parque y procedieron a limpiarlo todo cuanto pudieron. Después de una larga y agotadora jornada, se sentaron en un banco del parque con varias bolsas de basura llenas, producto de su duro trabajo, y gozaron viendo su parque limpio.

— Le debíamos este parque limpio a todo el mundo — comentó Helena —. Ahora espero que todo el mundo ayude a mantenerlo limpio para que podamos seguir disfrutándolo.

Los Suárez estaban seguros de que esta demostración de lealtad a la comunidad era algo que sus hijos no olvidarían; no sólo había sido un arduo trabajo sino, además, un trabajo que había unido más a la familia y también la había acercado más a su comunidad.

Ayude a los niños a establecer lazos familiares fuertes. La lealtad familiar surge cuando los niños se sienten fuertemente vinculados a su propia y única familia. Para ayudar a sus hijos a sentir ese vínculo, cuénteles sobre las raíces familiares y cuáles son sus relaciones con la familia extensa. Las discusiones y querellas familiares plantean un dilema de lealtad a los niños a quienes se les pide que tomen partido. Evite esta trampa de la vida familiar permitiéndoles conocer "quién es quién" en su familia, sin hacer comentarios acerca de las relaciones anteriores entre los miembros de ésta.

Advertencia: evite pedirles a los niños que tomen partido.

Frecuentemente, a los niños de familias divorciadas se les pregunta con quién quisieran vivir. Tal pregunta los obliga a preferir a uno de los padres o a una de las familias. En vez de forzar una elección, una autoridad imparcial debe tomar la decisión, basándose en lo que sea más conveniente para el niño.

Momento educativo

Un día, a la hora de la cena, Jorge preguntó:
— ¿Quién es Andrés?
— Oh, debes referirte a tu primo — respondió Helena.
— Sí, ese muchacho que se está graduando de bachiller — dijo Jorge, ansioso.
— Es el hijo de mi hermano Jaime — explicó Helena —. Mi hermano es tu tío, y sus hijos son primos tuyos.
— Entonces, ¿podemos ir a la graduación? Quiero conocerlo. No sabía que tuviera un primo llamado Andrés.

— No, no podemos ir. Ellos viven al otro lado del país. Pero enviaremos un regalo — respondió Helena.

— ¿Pero sigue siendo primo nuestro aunque mi tío Jaime se haya divorciado? — preguntó Jorge.

— Sí, porque Jaime sigue siendo mi hermano y, por lo tanto, aún es tío tuyo y sus hijos son tus primos.

— ¡Caramba, qué confusión! — exclamó Jorge y cambió de tema.

Helena y David acordaron que era necesario hablar más sobre su familia con los niños para que entendieran sus lazos familiares. ¡Hasta ellos mismos algunas veces se confundían!

Consiga un mascota. Tener una mascota que sus hijos deban alimentar y cuidar es una estupenda manera de fomentar la lealtad. Cuidar a las mascotas no sólo enseña cómo ser leal, sino que además algunas mascotas son excelentes modelos de lealtad, pues defienden a sus amos contra viento y marea.

"Nunca supe realmente el significado de la lealtad hasta que tuve un perro. Ahora que tengo un perro, tengo una verdadera responsabilidad y le demuestro mi profundo sentido de la lealtad dándole todos los cuidados que necesita".
— Katie

Momento educativo

Cuando Adriana finalmente consiguió el cachorro que había anhelado consentir y amar durante años, sólo le impusieron dos condiciones: ella estaría a cargo de su cuidado durante el día y su padre la ayudaría con las labores de la casa por la noche. Fue asombroso ver el amor genuino y la lealtad que surgieron casi inmediatamente entre el cachorro y su madre humana: la más hermosa lección de lealtad que esta familia hubiera podido imaginar.

"Caridad es compartir el hueso con el perro, cuando usted está tan hambriento como él".
— JACK LONDON

10

CORTESÍA

"La vida no es tan corta como para que no haya siempre tiempo para la cortesía".

— RALPH WALDO EMERSON

> **cortés.** *adj.* Correcto, guardador de las normas estable-
> cidas para el trato social. Afable, atento, considerado,
> bien educado, respetuoso.

- ○ "¡Cuánto lo siento! Eso fue indelicado de mi parte".
- ○ "Excúseme. No era mi intención quitarle su lugar en la cola".
- ○ "Muchas gracias por su ayuda".
- ○ "Recibí una tarjeta y un cheque de mi abuela. Voy a enviarle ahora mismo una nota de agradecimiento".

LOS ACTOS DE CORTESÍA son *definitivos* para el buen funcionamiento de nuestra sociedad. Quienes son lo suficientemente considerados como para pensar en las necesi-
dades de los demás y ser corteses contribuyen a la amabi-

lidad de la vida diaria y reducen los conflictos de ésta, disminuyendo así la violencia que contamina el ambiente que los rodea.

Esta "ley de reciprocidad" implica que la gente recibe lo que da. Esto significaría, por lo tanto, que la cortesía suscita cortesía. Si esto es cierto, entonces ¿por qué no existe menos grosería y más cortesía en las relaciones de la gente? Realmente estamos pasando por una hambruna de cortesía. ¡Por favor, fomente los actos de cortesía y descubra lo bien que se siente!

¿A qué nos referimos cuando hablamos de cortesía?

o Las personas corteses son conscientes de los sentimientos de los demás.
o Las personas corteses utilizan los buenos modales para facilitar la interacción social.
o Ser bien educado, incluso al enfrentar la grosería, ése es el signo de la cortesía.
o Las personas consideradas y generosas disfrutan al ser corteses.

Conozca a la familia Rojas

Ofelia y Gabriel Rojas se dieron cuenta de la necesidad de enseñarles cortesía a sus hijos, Miguel, de nueve años, y Roberto, de siete, al ver que Miguel trataba groseramente a alguien por el teléfono. Cuando lo enfrentaron al problema, Miguel dijo: "Sólo era un tipo que trataba de ven-

der algo". Los Rojas supieron por este simple ejemplo que
la tarea que les esperaba iba a ser formidable, pues ya le
habían oído otros comentarios de este tipo a Miguel y eran
conscientes de la grosería excesiva a la cual los exponía
diariamente la televisión. Incluso habían oído conversaciones abiertamente vulgares entre sus hijos y sus amigos, para luego escuchar esos mismos comentarios llenos
de veneno en una película que habían alquilado para
la familia. La cortesía parecía ser una meta distante
e inalcanzable, pero estaban decididos a tratar de lograrla por el bien de la armonía familiar y todo su círculo
social.

HERRAMIENTAS DE ENSEÑANZA

Supervise la televisión. Actualmente los niños aprenden la
mayor parte de su comportamiento social a través de lo que
ven en la televisión. Incluso si sus hijos no ven ese comportamiento modelo, algunos de sus amigos pueden imitarlo
y así todos sus amigos, entre ellos sus hijos, lo copiarán.
Esta socialización a través de la televisión puede tener un
lado bueno, pero a menudo el sarcasmo y la grosería pre-
valecen sobre la cortesía y los buenos modales. Para neu-
tralizar los efectos de los modelos negativos a los cuales
se exponen sus hijos a través de la televisión, es importante
mirar lo que sus hijos miran y analizar con ellos qué lecciones pueden aprender.

ADVERTENCIA: NO REACCIONE EXAGERADAMENTE ANTE LA FALTA DE CORTESÍA DE SUS HIJOS.

Si no se establecen reglas claras para los modales, los niños pueden no entender las sutilezas de la cortesía. Cuando cometen errores y tienen malos modales, es importante recordarles simplemente las reglas y cómo llevarlas a la práctica. Ponerse furioso y castigar a los niños por su falta de buenos modales sólo les produce ira y resentimiento, y reduce la probabilidad de que quieran seguir el ejemplo del adulto que los castiga.

Momento educativo

Ofelia entró al cuarto de estar cuando Miguel y Roberto estaban mirando televisión, y alcanzó a escuchar que sus hijos reían y repetían la frase "¡Es la economía, estúpido!".

— ¿Qué están mirando? — preguntó ella.

— La televisión, estúpida — respondió Miguel, y los niños rompieron a reír.

— Me duele profundamente cuando me llamas estúpida — replicó Ofelia —. Y no voy a permitir que me hables a mí, ni a nadie, de esa manera.

— Caramba, mamá. Yo no tenía ninguna mala intención — se disculpó Miguel —. Sonó divertido cuando lo dijeron en la televisión.

— El hecho de que lo digan en la televisión no implica que tú se lo puedas decir a los demás. Decirle improperios a la gente nunca es divertido para quien los recibe, aunque a los demás les pueda sonar divertido — dijo Ofelia.

— ¡Lo siento, mamá! No lo volveré a hacer. No era mi intención herirte — respondió Miguel, con un sentimiento de culpabilidad reflejado en la expresión de su cara.

Comprender el efecto de su comportamiento fue una lección para Miguel que aplicaría durante el resto de su vida: lo que decimos y hacemos *tiene* efecto sobre el corazón y el alma de los demás.

Dé ejemplo de cortesía. Los niños aprenden mejor cuando se les presenta ante los ojos un modelo que les da lecciones específicas. ¿Por qué? Porque al ver determinado comportamiento se les crea una imagen concreta en la mente, y ésta les facilita imitar lo que han visto. Usted puede ver a sus hijos imitando muchos comportamientos impropios que han visto en otras personas, desde proferir improperios hasta recurrir a los puños. Eso no debe sorprendernos, pues las investigaciones sobre la violencia apoyan la teoría de que los niños repiten lo que ven... para bien o para mal.

Este aspecto del aprendizaje hace que sea esencial tener un comportamiento cortés ante los niños en toda ocasión, para que dispongan de un modelo positivo que los guíe cuando deban elegir entre ser "groseros" o "amables" con los demás. Asuma la responsabilidad de ser el modelo de cortesía que sus hijos necesitan, para garantizar que reciban ejemplo de buenos modales a través de las personas que les merecen mayor respeto.

ADVERTENCIA: EVITE SER DESCORTÉS.

Algunas veces, por exasperación, usted puede ser descortés con sus hijos o con los demás. Si su paciencia y su autodisciplina llegan a debilitarse hasta desaparecer en ocasiones, discúlpese ante sus hijos y hable con ellos sobre cómo hubiera podido solucionarse el problema de manera más cortés.

Momento educativo

Cuando estaba en un centro comercial con los niños, Ofelia se encontró con una amiga de la familia.

— ¡Oh querida! — exclamó la señora, complacida —. ¡Qué hermosos hijos tienes!

— Mil gracias — respondió Ofelia, cortésmente —. ¡Niños, saluden a la señora González!

— Hola — murmuraron, mientras trataban en vano de ocultarse detrás de su madre.

La señora González habló y habló y habló, mientras Ofelia sonreía, asentía y respondía según fuera el caso. Pero, pasado un rato, comenzó a impacientarse.

— Le ruego disculparme, señora González — la interrumpió finalmente Ofelia —. Tenemos una cantidad de compras que hacer antes de encontrarnos con Gabriel. ¡Él odia que lleguemos tarde! — y se alejaron apresuradamente.

— Mamá, la señora González habla mucho, ¿no es cierto? — observó Roberto.

— Sí, a ella realmente le gusta hablar — respondió Ofelia —. Temí que llegáramos tarde si seguía hablando más tiempo.

— ¿Por qué no nos fuimos? — preguntó Miguel.

— Eso no hubiera sido cortés, ¿no te parece? — respondió Ofelia —. ¿Cómo te sentirías si me estuvieras hablando y yo simplemente me fuera?

— Supongo que no me gustaría — contestó Miguel.

— Creo que debemos tratar a la gente con cortesía en cualquier caso — prosiguió Ofelia —. De esa manera tenemos más probabilidades de ser tratados con cortesía.

Aunque el encuentro con la señora González demoró sus compras, Ofelia estaba contenta de haber tenido la oportunidad de demostrarles a los niños que la gente puede tratar a los demás con cortesía incluso en caso de que no le convenga. "Lo cortés no quita lo valiente", recordó que le decía su madre cuando era niña.

"Una de las cosas que siempre trato de hacer es ser cortés con las personas que me rodean. Siempre es agradable que hagan comentarios que nos favorezcan y lograr, además, tener una buena reputación".

— KATIE

Enseñe buenos modales. Los buenos modales son virtudes sociales importantes, que establecen un ambiente amable tanto para el trabajo como para la diversión. De hecho, los modales son verdaderamente las herramientas básicas que utiliza la gente para evitar ofender a los demás. Al enseñarles a sus hijos buenos modales y fomentarlos, puede estar seguro de que tendrán las herramientas necesarias para llevarse bien con los demás.

Advertencia: evite dar recompensas tangibles
por los actos de cortesía.

Dar premios a los niños como recompensa por su comportamiento apropiado parece ser una buena idea. Pero cuando se usan sistemáticamente recompensas tangibles, los niños se acostumbran a esperarlas por cualquier cosa. En vez de dar dulces o cualquier otra recompensa material, elogie el comportamiento apropiado y describa lo que usted presenció. "Tuviste muy buenos modales al hablar por teléfono", o "Gracias por masticar tu comida con la boca cerrada" son ejemplos de elogios descriptivos que mantienen frente a sus hijos la meta de los "buenos modales", sin crearles la expectativa de obtener una recompensa cada vez que hagan algo que a usted le gusta.

Momento educativo

Desde que sus hijos eran pequeños, los Rojas trataron de inculcarles buenos modales practicándolos ellos mismos. Les explicaron qué modales debían observar y trataron de fomentarlos siempre que se presentaba la ocasión. Las reglas más frecuentemente ejercitadas y fomentadas eran las del comportamiento en la mesa. Una conversación típica a la hora de la cena estaba salpicada de comentarios tales como: "Gracias por recordar que debes masticar con la boca cerrada" o "Dijiste por favor y gracias. ¡Qué bien!"

Ofelia reconoció que era necesario un mayor entrenamiento en cuestión de modales cuando oyó que Miguel, al contestar al teléfono, decía: "Él no está" y luego había colgado.

— Miguel, ¿para quién era esa llamada? — preguntó Ofelia.

— Para papá. Pero le dije al señor que él no estaba.

— Sí, eso oí. Sin embargo, hubiera sido más cortés si lo hubieras dicho de otra manera — le explicó Ofelia.

— ¿Qué otra cosa era necesario decir? — preguntó Miguel.

— Ve y trae a tu hermano, por favor. Pienso que es hora de practicar los modales que se deben tener al contestar al teléfono — dijo Ofelia, y fue al escritorio a traer unas tarjetas. En una de ellas escribió lo siguiente:

○ Casa de la familia Rojas. Habla con _____.
○ Un momento, por favor, lo/la llamaré.
○ Lo siento. Él/ella no está en el momento. ¿Quiere dejarle un mensaje?

Después de escribir las frases, les dio la tarjeta a los niños.

— Esto es para que aprendan cómo queremos que contesten ustedes al teléfono. Así es como contestamos su papá y yo, y nos gustaría que ustedes lo hicieran de la misma manera. Ahora practiquemos.

Los niños pasaron los siguientes minutos simulando que estaban contestando al teléfono y respondiéndole a la madre como si ella estuviera llamando.

— ¿No es agradable saber qué decir cuando la gente llama? Si pienso en cosas nuevas que agregar a la tarjeta, practicaremos un poco más — concluyó Ofelia, convencida de que enseñar el comportamiento apropiado era mucho más valioso que ponerse furiosa por tonterías.

"La prueba de los buenos modales es ser capaz de soportar los malos modales sin desagrado ".
— ANÓNIMO

11

PACIENCIA

*"Usted debe aceptar lo que venga, y lo único importante
es que lo enfrente con valor y con lo mejor que pueda dar
de sí mismo".*

— ELEANOR ROOSEVELT

> **paciencia.** *f.* Virtud que consiste en sufrir sin perturbación
> del ánimo los infortunios y trabajos. **3.** Espera y sosiego en
> las cosas que se desean mucho. Tranquilidad para esperar,
> calma.

○ "Está bien, mamá. Puedo arreglármelas sin esos zapatos
tan costosos".
○ "Tengo hambre, pero puedo esperar a la hora de la cena".
○ "Unos niños me insultaron hoy en la escuela, pero puedo
soportarlo".
○ "Hoy me fue mal en el examen de matemáticas. Supongo que debo estudiar más".

PARA LOS NIÑOS PUEDE SER DIFÍCIL adquirir y emplear la
paciencia. Si han adquirido pocas habilidades para en-

frentar la adversidad, rápidamente se frustrarán. Cuando se les dice que no pueden obtener algo o que deben esperar para obtener lo que ellos creen necesitar, muchos se salen de sus casillas, arman un escándalo y exigen que el mundo se mueva según su plan de acción: *¡Ya mismo!* Para ayudar a los niños a adquirir paciencia y aprender a tolerar la frustración y la adversidad, es importante que no siempre se salgan con la suya, y que tengan que dar unas batallas de bajo riesgo que los obliguen a aprender a manejar la confusión y el desengaño, dos hechos desafortunados de la vida que exigen paciencia.

¿A qué nos referimos cuando hablamos de paciencia?

o   Aprender a aplazar la satisfacción de los deseos forma parte de la adquisición de la paciencia.
o   Planear para alcanzar metas futuras demuestra que un niño puede tolerar la frustración y la adversidad.
o   Los niños que han aprendido a ser pacientes saben cómo dar los pasos necesarios para lograr sus metas.
o   Para adquirir la virtud de la paciencia es esencial hacer comprender a los niños que no siempre pueden obtener lo que desean y que no necesariamente tienen derecho a todo lo que piden.

Conozca a la familia Pérez

José y María Pérez enfrentaron la necesidad de enseñarles a sus hijos, Carolina, de tres años, y Alejandro, de diez, a tolerar la frustración, cuando a Alejandro le dio una pataleta

porque no podía tener unos zapatos deportivos excesiva-
mente costosos. Cuando los gritos y llantos se apaciguaron,
José y María trataron de hacer entrar en razón a Alejandro,
pero sin resultado. Él decía que odiaba a sus padres porque
no le permitían tener algo que, según él, necesitaba desespe-
radamente (pero que en realidad sólo deseaba). José y María
comprendieron que Alejandro nunca había aprendido a ser
paciente, y que a través de este sencillo ejercicio de satisfacer
las necesidades, no los deseos, empezaría a aumentar su
capacidad para soportar las frustraciones de la vida.

HERRAMIENTAS DE ENSEÑANZA

Enseñe a fijar metas. Los niños que pueden fijarse metas
y entender qué pasos es necesario dar para lograrlas, tienen
mayor probabilidad de ser pacientes cuando tengan que
esperar para conseguir lo que quieren. Cuando un niño le
pida algo o quiera hacer algo, en vez de responder automá-
ticamente sí o no, pregúntele cómo piensa él que podría
lograr lo que desea. Si no tiene idea de la manera como
puede lograr su codiciado objetivo, ayúdele a trazar los pasos
que debe dar.

Momento educativo

Cuando a Alejandro le dio la pataleta por los zapatos que quería pero no podía tener, José y María
esperaron a que se apaciguaran los gritos y los llantos,
y luego empezaron a ayudarle a fijarse una meta.
— Si no podemos comprarte los zapatos, ¿cómo
podrías conseguir el dinero para comprarlos tú mismo? — le preguntó José.

—¡Tú deberías comprármelos!—exigió Alejandro.

— No disponemos de los medios para eso, pero tenemos el dinero para comprar unos zapatos que cuesten la mitad. Por lo tanto, sólo tienes que conseguir la mitad del dinero para comprar los otros. ¿Cómo podrías hacerlo?

— Simplemente tú podrías dármelo — respondió Alejandro, desafiante.

— Me parece que no he sido suficientemente claro. He aquí las opciones que tienes: nosotros te compraremos unos zapatos que cuestan menos que los que quieres, o tú puedes ganarte el dinero que nosotros no tenemos para pagar la diferencia y comprar los que tú quieres. Pienso que debes tomarte tu tiempo para decidir qué quieres hacer — dijo José.

Pasados unos días dedicado a pensar sobre el problema y a discutirlo con sus padres, Alejandro decidió que podía ganarse el dinero haciendo algunos trabajos para los vecinos, como hacer mandados y otras cosas. Sin embargo, cuando se hubo ganado el dinero, ¡decidió que ya no quería los zapatos! No merecían que invirtiera en ellos todo ese dinero adquirido con tanto esfuerzo.

Haga que los niños trabajen para obtener lo que quieren. Los niños que trabajan para tener privilegios aprecian más lo que tienen y lo que les es permitido hacer. Al seguir la "regla de la abuela" (cuando hayas hecho lo que debes hacer, puedes hacer lo que quieras hacer), los niños aprenden a posponer la satisfacción de sus deseos y saben que lo que quieren sólo se logra con esfuerzo y paciencia.

Advertencia: no dé a los niños una mesada.

Los niños que reciben una mesada aprenden a recibir algo por nada. Incluso si se intenta relacionar la mesada con las labores o deberes realizados, los niños rara vez establecen la conexión entre el dinero que les dan y los trabajos que han hecho. Se supone que los niños deben, por ejemplo, arreglar su cuarto y tender su cama sencillamente porque forman parte de una familia y no porque reciben una mesada. También es de esperar que los niños ayuden en labores familiares tales como poner la mesa, alimentar las mascotas y ayudar a servir la cena. En vez de darles una mesada, elija trabajos importantes que deban realizarse semanalmente y págueles por realizarlos de manera satisfactoria. Aspirar, sacudir el polvo, lavar el automóvil y otras labores de limpieza importantes, que generalmente se realizan semanalmente, pueden ser buenas fuentes de ingreso para los niños.

Momento educativo

José y María idearon un plan para tratar de enseñarles a sus hijos que tenían que trabajar antes de jugar. Para recordarse a sí mismos y a sus hijos la nueva norma, pusieron un letrero en el refrigerador que decía: "Cuando hayas ..., entonces podrás ..."

Cuando Carolina entró a la cocina a pedir un refrigerio, María le dijo:

—Me encantaría prepararte un refrigerio. Cuando hayas recogido los juguetes con los que estabas jugando y los hayas dejado en su lugar, te lo daré.

Carolina renegó y lloriqueó, pero María se atuvo a la nueva norma y los juguetes fueron puestos en su lugar. Tanto María como José estaban complacidos de haber encontrado no sólo la manera de lograr que sus hijos hicieran las cosas que tenían que hacer, sino también la de ayudarlos a tener paciencia para poder posponer sus deseos hasta haber hecho su trabajo.

Enseñe a los niños a esperar. Los niños que aprenden a esperar para obtener lo que quieren tienen la posibilidad de adquirir el hábito de la paciencia y la tolerancia ante la frustración. Para enseñar a los niños a esperar, debe hacerles practicar la espera y darles instrucciones sobre lo que pueden hacer mientras esperan.

ADVERTENCIA: EVITE RENDIRSE ANTE EL LLORIQUEO.

Cuando los niños se sienten frustrados, a menudo recurren al lloriqueo, y los padres a veces se rinden tan sólo para acabar con la pataleta. En vez de rendirse ante el comportamiento inapropiado, demuestre a sus hijos empatía por su sufrimiento, pero manténgase firme con la norma (que es probablemente la causante del llanto) para que aprendan que éste no les permitirá obtener lo que deseen.

Momento educativo

Cuando María estaba hablando por teléfono, Carolina decidió que necesitaba ayuda en lo que estaba haciendo y le exigió a su madre que colgara para que la ayudara.

— Lo siento — dijo la madre —, estoy hablando por teléfono en este momento y no puedo ayudarte.

Infortunadamente, Carolina empezó a gritar y llorar para que su madre atendiera sus necesidades. María terminó rápidamente la conversación y puso a Carolina "en el rincón". Cuando hubo transcurrido el "tiempo del rincón", María dijo:

— Siento mucho no poder hacer lo que quieras en el minuto en que lo desees. Cuando estoy ocupada en el teléfono, no puedo simplemente interrumpir y atenderte, a no ser que sea una emergencia. De manera que haremos lo siguiente: voy a poner estos lápices de colores y este papel en el cajón de la mesita del teléfono. Si necesitas algo cuando yo esté hablando por teléfono, abriré este cajón, sacaré los lápices de colores y el papel y tú te sentarás a dibujar hasta que yo cuelgue. Así tendrás algo divertido que hacer mientras esperas.

Al resolver el problema encontrando una solución positiva distinta del regaño, María sabía que estaba enseñando una lección doble: el llanto no paga y las soluciones creativas pueden a menudo ayudar a satisfacer las necesidades de todos.

"Cuando tenía siete años, mis padres me impusieron acostarme muy temprano. Yo me sentía frustrada, pero recordé lo que mis padres me habían dicho: controla tu temperamento en vez de sufrir un ataque. En forma educada les pedí que me concedieran una hora más de actividad diaria y ¡dijeron que sí!"

— Claire

Permita los fracasos de bajo riesgo. Si se protege a los niños de cualquier tipo de fracaso, no adquirirán experiencia para aprender a manejar las consecuencias de sus decisiones. Usted puede ayudar a su hijo a tolerar la frustración ¡dándole la oportunidad de fracasar! Permitir fracasos de bajo riesgo — por ejemplo, no poder mirar televisión porque los juguetes no fueron recogidos a tiempo —, les da a los niños experiencia para soportar el desengaño y para manejar pacientemente el hecho de no lograr hacer lo que ellos quieren cuando es su deseo.

ADVERTENCIA: NO RESCATE A SUS NIÑOS DEL FRACASO.

Para que los niños aprendan a ser pacientes y a soportar la frustración y la adversidad, deben vivir el fracaso. Eso no quiere decir que deban perder un año en la escuela o hacerse daño permanentemente, pero deberían estar expuestos a los pequeños fracasos de la vida. Por ejemplo, si su hijo olvida llevar sus tareas a la escuela, debe sufrir las consecuencias sin que usted lo rescate llevándoselas hasta allá. Durante esta experiencia de fracaso, demuéstrele su preocupación y empatía, para que sienta su apoyo, pero no lo salve de las consecuencias. Si no enfrentan las consecuencias y los sufrimientos menores que las acompañan, los niños tendrán dificultad para aprender a enfrentar la frustración y la adversidad, una experiencia que les enseña a ser pacientes y a vivir con sus decisiones.

Momento educativo

María y José estaban cansados de luchar con sus hijos para que se alistaran para acostarse, y decidieron instaurar una rutina para ir a la cama. Se sirvieron de un reloj despertador para jugar a "Ganarle al reloj", y le pusieron a Carolina y a Alejandro ciertas metas que debían cumplir si querían permanecer levantados jugando hasta la hora de irse a la cama. La primera noche, ninguno de los dos le ganó al reloj, pues no estuvieron empiyamados una hora antes de la hora normal de acostarse, y tuvieron que irse a la cama más temprano. La noche siguiente, corrieron tanto para ganarle al reloj que casi se tropezaban entre sí, pero lo lograron y se les permitió quedarse levantados la hora anterior al momento de ir a dormir. Su fracaso inicial no sólo los motivó a darse prisa para estar listos, sino que también les enseñó la lección de cómo tolerar y aceptarse a sí mismos, incluidas sus imperfecciones.

Enseñe empatía. Una forma de que los niños aprendan a soportar la frustración y la adversidad y a ser pacientes es enseñarles cómo demostrar empatía hacia los demás. Para que sus hijos aprendan a sentir empatía, deben primero aprender a ponerse en el lugar de los demás y aprender a pensar acerca de lo que los demás están enfrentando y que podría estar afectando, por ejemplo, su comportamiento, su lenguaje o su estado de ánimo. Esta capacidad para entender las necesidades de las otras personas puede ayudarles a distraer su atención de sus propias frustraciones, y también ayudarles a entender por qué una persona hace o dice algo que puede frustrar a quienes la rodean.

Momento educativo

Cuando Alejandro regresó a casa de la escuela, anunció que había un niño nuevo en su clase.

— La profesora dijo que él estaba en educación especial, y sé que está eximido del grupo de lectura porque no sabe leer. Ella dijo que él formaba parte de un programa llamado 'inclusión', me parece. Mamá, ¿qué es educación especial e inclusión?

— Es cuando los niños que tienen problemas de aprendizaje van a la misma escuela que tú, pero obtienen la ayuda especial que necesitan — respondió María —. Recibimos una comunicación de la escuela en donde decía que iban a empezar a incluir niños de educación especial en las clases normales. Supongo que eso es lo que significa 'inclusión'.

— ¿Por qué tienen problemas de aprendizaje? ¿No todo el mundo aprende lo mismo que Carolina y yo? — preguntó Alejandro.

— No, mi amor, no todo el mundo aprende lo mismo. Algunos niños tienen dificultad para oír y escuchar, algunos tienen dificultad para ver y algunos sólo tienen dificultad para aprender a leer o para las matemáticas.

Alejandro estaba preocupado por las revelaciones de su madre:

— ¿Quieres decir que algunos niños son simplemente tontos?

María comprendió que debía ser más específica y más clara.

— No, Alejandro, algunos niños tienen dificultades para el aprendizaje, pero no son tontos. Y algunos son ciegos o sordos o muchas otras cosas, y por eso necesitan más ayuda que otros niños. Por eso es que reciben educación especial.

María casi podía ver las ideas dando vueltas en la cabeza de Alejandro, mientras éste pensaba en lo que ella le había dicho.

— ¿Sabes, mamá, que yo estaba furioso porque tenía que hacer mis tareas y me hacías leer media hora diaria? Pero Tomás ni siquiera puede leer. Realmente me siento mal por haber hecho tanto escándalo por algo que no es muy importante.

Al día siguiente, cuando regresó de la escuela, Alejandro anunció que tenía un nuevo amigo.

— Tomás y yo somos amigos. Estuve pensando en que él no puede leer y decidí que necesitaba a alguien que le ayudara.

María estaba tan orgullosa que se puso a llorar.

— ¿Por qué estás llorando, mamá? — preguntó Alejandro, preocupado.

— Me entristece mucho que Tomás tenga problemas para leer; y me siento muy orgullosa de ti, por querer ser su amigo. Eso es muy amable de tu parte.

Sí, ella estaba orgullosa. Su hijo había demostrado que podía sentir compasión hacia alguien que era diferente. Su grado de preocupación y empatía ante las necesidades de los demás era algo que debía celebrarse.

Ayude a los niños a enfrentar los desengaños. Al igual que todas las personas, los niños deben enfrentar desengaños cada día, y muchos no saben cómo manejarlos emocionalmente. Como resultado, a estos niños les dan pataletas, atacan verbalmente a sus padres o pueden sentirse deprimidos. En el núcleo de esta incapacidad para soportar el desengaño está el modo de pensar del niño. Aquellos que piensan que no obtener lo que quieren será un desastre de proporciones mayúsculas no serán capaces de enfrentar los desengaños. Para ayudar a los niños a que aprendan a enfrentar los desengaños, enséñeles cómo darles una forma nueva a las situaciones, de manera que éstas no constituyan desastres sino simplemente hechos decepcionantes. Si les dice a los niños que pueden manejar cualquier problema que se les presente y les ayuda a proyectarse más allá de su desilusión inmediata, podrá guiarlos para que aprendan a enfrentar uno de los desafíos más difíciles de la vida: los momentos inevitables en que las cosas no resultan como uno esperaba.

Momento educativo

— ¡Quiero quedarme y jugar otro rato! — chilló Carolina cuando María le dijo que tenían que irse de la casa de una amiga —. Nunca puedo hacer lo que quiero.

— Hemos estado aquí lo suficiente y debemos irnos ahora — insistió María, pero Carolina aumentó el tono de sus lamentos. María estaba a punto de empezar a gritar; sin embargo, logró controlarse.

— Comprendo cómo te sientes. Quieres quedarte a jugar, pero simplemente no podemos. Ahora bien, déjame decirte cuáles son tus opciones: puedes irte ahora y volver otro día a jugar, o puedes decirte a ti misma que ha sucedido algo horrible y desastroso y sentirte tan molesta que no lo puedas soportar. Cuando te pones así de furiosa, haces cosas que te ocasionan problemas. Veamos: ¿qué quieres hacer?

¿Quieres ponerte furiosa y no poder volver, o decirte a ti misma que pasaste un rato agradable e irte ahora para poder volver en otra oportunidad?

Carolina decidió que sería mejor irse ahora y volver a jugar otro día. María estaba complacida por la decisión tomada por su hija y por la habilidad creciente de la niña para tener paciencia ante cosas que ella consideraba frustrantes... una lección que incluso María también tenía que aprender de nuevo.

Cuando usted diga no, no cambie de parecer. Cuando los padres rechazan las exigencias de sus hijos, deben estar dispuestos a mantenerse firmes independientemente de las reacciones potenciales como los ruegos, los halagos, los llantos y las adulaciones que esa negativa pueda provocar. Ser capaz de mantenerse firme al negar un permiso a sus hijos para hacer algo o ir a algún lugar requiere fortaleza y decisión. Para ayudar a su hijo a tolerar un "no", usted no sólo debe estar dispuesto a mantener su decisión sino también hacer que a su hijo le resulte "caro" continuar con su insistencia imponiéndole un trabajo por cada minuto de lloriqueo.

Momento educativo

Alejandro quería ir a la casa de un amigo, pero tenía labores que realizar, y María estaba decidida a asegurarse de que su trabajo estuviera terminado antes de que saliera de la casa.

— Pero te prometo que las haré cuando regrese — rogó Alejandro —. Por favor, ¿me dejas ir? ¡Por favor! ¡Por favor! ¡Por favor!

—Lo siento, Alejandro —replicó María pacientemente —. La regla es que debes hacer todas tus labores antes de poder ir a alguna parte.

— Pero es sólo por un rato corto... — empezó a decir Alejandro, cuando María lo interrumpió.

— La respuesta sigue siendo no. Y te quiero decir que ni los argumentos ni los ruegos servirán de nada. Pero si quieres continuar, te venderé el derecho a hacerlo por un trabajo cada minuto.

— ¿Qué quieres decir con un trabajo por minuto? — preguntó Alejandro, súbitamente curioso.

— Quiero decir que por cada minuto que me sigas rogando, te asignaré un trabajo que debes hacer para mí. Puedes rogarme todo el tiempo que quieras.

Alejandro miró a su madre durante unos momentos, luego se volvió y abandonó el cuarto. Treinta minutos después anunció que sus labores estaban terminadas. Después de inspeccionarlas para asegurarse de que estaban bien hechas, María le permitió ir a donde su amigo. Estaba orgullosa de sí misma por haber sido capaz de mantenerse en sus principios e invocar la regla sobre realizar las labores antes de poder hacer una actividad recreativa. Y Alejandro también se sintió bien por haber hecho lo que sabía que era correcto. Detestaba admitir que hacer su trabajo antes de jugar ¡le resultara algo tan razonable!

Ayude a los niños a aprender a tolerar a sus hermanos menores. Los niños demuestran a menudo su intolerancia hacia sus hermanos menores peleando con ellos, insultándolos o incluso ignorando su presencia. Por el bien de su salud mental y de la armonía familiar, los niños deben aprender a tener paciencia ante el comportamiento de sus hermanos menores. Para enseñarles tolerancia hacia sus hermanos, imponga como regla familiar que deben llevarse bien. Una vez establecida la regla, elogie a sus hijos por llevarse bien, e imponga consecuencias negativas cuando elijan no hacerlo.

ADVERTENCIA: NO PERMITA QUE LOS NIÑOS DIGAN QUE "NO SOPORTAN" UNA COSA.

Cuando la gente dice que no soporta algo, está haciendo caso omiso de su habilidad y fuerza internas para tolerar la adversidad. Los niños que acostumbran decir: "¡No lo soporto!" no sólo cierran la puerta que les permite tolerar las cosas que no les gustan, sino que además se denigran a sí mismos, lo cual disminuye su habilidad para enfrentar los desafíos en forma positiva.

Momento educativo
— ¡Tú, pequeño insecto! — gritó Alejandro —. Estás parada enfrente a la televisión sólo para molestarme. ¡Quítate de ahí! ¿Mamá, quieres venir a llevarte a tu hija?
— Siento mucho que hayan elegido no llevarse bien — dijo María al entrar al cuarto. Ella sabía que no debía resolverle el problema a Alejandro y que ambos niños eran responsables de llevarse bien entre sí.
— Como eligieron no llevarse bien, Carolina, tú tienes que "ir al rincón". Y tú, Alejandro, tendrás que

aspirar el cuarto de estar. Cuando terminen, ambos tendrán que decidir si quieren llevarse bien o ir más tiempo al rincón y hacer más trabajos.

— Pero ella estaba tratando de molestarme deliberadamente — trató de explicar Alejandro.

María le recordó la regla sobre llevarse bien. Más tarde, trató de ayudar a Alejandro a estudiar cómo resolver el problema del comportamiento irritante de su hermana.

— ¡No puedo soportar que haga eso! — le dijo a su madre —. ¡Ella me vuelve loco!

María pensó decirle que estaba exagerando, pero en cambio dijo:

— Creo que puedes soportar más de lo que crees. Le estás dando a esa pequeña mucho poder sobre ti. En lugar de simplemente creer que no puedes soportar su comportamiento, piensa en las maneras en que podrías cambiar su actitud cuando te esté molestando.

— La haría desaparecer — contestó Alejandro hoscamente.

— Y ¿qué crees que ocurrirá si lo haces? — preguntó María pacientemente.

— ¡Tú me harías desaparecer a mí! — contestó Alejandro enfáticamente —. Supongo que podría ofrecerle jugar con ella.

— Eso es ser creativo —, María se mostró entusiasta —. Tienes mucho poder sobre Carolina. Ella cree que tú eres lo mejor. Todo lo que necesitas es ser amable con ella, y ella te corresponderá. Creo que eso sí lo puedes soportar.

— Sí, mamá — dijo Alejandro —. Supongo

que puedo soportar mucho más de lo que creo. Todo lo que necesito hacer es cambiar un poco mi actitud.

María estaba orgullosa de la capacidad de discernimiento de Alejandro. Algunos días a ella le disgustaba realmente su comportamiento, ¡pero sabía que podía soportarlo!

*"La mayor fuente de felicidad es olvidarse de sí mismo
y tratar seria y honestamente de serles útil a los demás".*
— Millicent Fenwick

12

INVENTIVA

"La pregunta no es si moriremos, sino cómo viviremos".
— JOAN BORYSENKO

> **inventar.** Descubrir, idear. Encontrar la manera de hacer
> una cosa nueva, o una nueva manera de hacer algo.
>
> **inventiva.** *f.* Ingenio, habilidad o talento para inventar cosas
> o para encontrar medios de cualquier clase para resolver
> dificultades. Iniciativa, cualidad de la persona capaz de
> idear, inventar o emprender cosas.

○ "No sabía cómo destapar este frasco, pero me di cuenta
  que estaba dándole la vuelta hacia el lado equivocado y
  entonces, como por arte de magia, ¡se abrió!"
○ "Estábamos furiosos el uno con el otro, pero pudimos
  resolver el problema".
○ "No sabía cómo solucionar este problema de matemáticas; entonces busqué uno parecido y pude resolverlo".
○ "Tenía hambre y tú estabas hablando por teléfono; de
  modo que me preparé un refrigerio".

Todos los problemas son relativos, particularmente cuando los enfrenta una familia. Para un niño, la definición de un problema puede cambiar, día a día, como el viento. Por lo tanto, cuando los padres ven que un niño está luchando con un problema, por más intrascendente que a ellos les parezca, deben tomarlo en serio y ayudarle a resolverlo.

Estas lecciones sobre cómo resolver problemas y cómo encontrar los medios necesarios para resolverlos pueden empezar desde la edad preescolar, porque es en ese momento cuando, por primera vez, los deseos y los sueños de un niño se enfrentan con el enemigo: la realidad. Aunque a muchos padres les encantaría proteger a sus hijos de las desilusiones de la vida y resolverles todos los problemas, el camino hacia la independencia depende de la habilidad de cada uno para resolver problemas. Cuanto más pronto practiquen los niños estas habilidades, más fácil les será avanzar positivamente por la senda que los conduzca hacia la independencia y la autonomía en la edad adulta.

"Si tengo un problema que no entiendo, vuelvo atrás, lo estudio otra vez, respiro profundo y trato nuevamente de resolverlo".

— Nikki

¿A qué nos referimos cuando hablamos de habilidad para resolver problemas?

o Los problemas son barreras que impiden que la gente logre sus metas.
o Para resolver problemas, las limitaciones de cada individuo deben tenerse en cuenta.

○   Para llegar a ser independiente y autosuficiente, se debe aprender a resolver problemas.

○   La resolución de problemas requiere un conjunto de habilidades que se puede adquirir, practicar y refinar.

Conozca a la familia Perdomo

Alfredo y Alicia Perdomo procuraban darles a sus tres hijos, Diego, de cuatro años, Carlos, de seis, y Enrique, de diez, las soluciones para cualquier problema que se les presentara. Pronto se dieron cuenta de que los niños dependían cada vez más de que ellos, como padres, eliminaran todas las barreras que les obstruían el camino, para que su vida fuera tan suave como el cristal. Aunque comprendían cuán difícil sería romper este hábito paternalista, trataron de cambiar su comportamiento y enseñarles a los niños cómo podían buscarles solución a los problemas que formaban parte de su vida diaria, en vez de rescatarlos y evitar que se enfrentaran al fracaso. Al enseñarles a los hijos cómo encontrar soluciones que los acercaran más al logro de sus metas, la familia entera resultó beneficiada con una mayor independencia y mayores sentimientos de seguridad en sí mismos.

Herramientas de enseñanza

Dé ejemplo de cómo solucionar problemas. Imagine que sus hijos son jóvenes esponjas que absorben el modo como usted se comporta, sea bien o mal. Seguidamente examine la manera como usted resuelve los problemas y adopta decisiones razonables basadas en sus conclusiones. Explique los pasos que da para resolver los problemas que se le presentan, a fin de que su hijo pueda ver cuánta serenidad y calma le aportan estos pasos a una persona cuando se encuentra en medio de una situación difícil.

1. Haga una lista de todas las soluciones posibles.
2. Evalúe las consecuencias de cada una de ellas.
3. Elija la solución cuyas consecuencias positivas lo conduzcan más cerca de sus metas.

ADVERTENCIA: EVITE PERDER LA SERENIDAD AL ENFRENTAR UNA CRISIS.

Los niños aprenden mediante el ejemplo; por lo tanto, una buena manera de ayudar a sus hijos a aprender a resolver problemas es conservando la serenidad cuando todos a su alrededor la están perdiendo. Si usted siente que está entrando en pánico, dedique un momento a recuperar la calma y dígase a usted mismo que puede manejar cualquier situación que se le presente. Dar buen ejemplo a sus hijos le traerá más tarde muchos dividendos.

Momento educativo

Mientras se paseaba de un lado al otro del comedor, Alicia se preguntaba en voz alta cómo podría llevar a Carlos a la escuela y llegar a tiempo a la cita para Diego en el consultorio del dentista, puesto que la hora de ambas cosas coincidía. Cuando levantó la vista, vio a los dos niños observándola expectantes.

Éste era el momento de mostrarles cómo buscar la solución de un problema, decidió ella.

— Bueno, veamos — comenzó a decir —. Podríamos dejar a Carlos en casa. ¿Qué opinas, Carlos? ¿Sería ésta una buena forma de resolver el problema?

— ¡No! Me atrasaría en el estudio — respondió Carlos inmediatamente.

— Bueno, entonces, ¿qué tal si llamamos al dentista y cancelamos la cita de Diego?

Esta vez fue Diego quien repuso:

— ¡No! ¡Se me formarán caries!

Alicia sonrió. Era bueno comprobar que las charlas sobre cepillarse los dientes e ir al dentista con regularidad habían sido escuchadas.

— Bueno, tal vez podríamos llamar a la madre de Javier, Margarita, para ver si ella puede llevar a Carlos a la escuela, de manera que nosotros podamos ir al dentista — le dijo a Diego.

— Sí, ésa es una buena idea — comentó Carlos —. Así podré ir a la escuela con Javier. Él me cae bien. Algunas veces, me permite jugar en el recreo con el resto de los alumnos de tercer grado.

Alicia llamó a Margarita, y ella aceptó recoger a Carlos en su camino a la escuela. ¡Qué alivio! — pensó Alicia —. Si conservo la calma, puedo encontrar mejores soluciones que si estoy alterada; y al hacerlo, puedo enseñarles a mis hijos a evitar enloquecerse cuando tienen que tomar una decisión. Así, no sólo había solucionado el problema de tener que encontrarse en dos lugares al mismo tiempo, sino que además había aprovechado la oportunidad de presentarles a sus hijos un modelo de cómo solucionar un problema.

Hable con sus hijos para ayudarles a que sean ellos mismos quienes encuentren la solución de sus problemas. Cuando sus hijos vayan a usted con problemas, en vez de resolvérselos, converse con ellos y ayúdelos mediante preguntas a buscar soluciones. De esta manera, ellos aprenden a pensar en posibles soluciones y tienen mayor probabilidad de llevar a cabo la que elijan, puesto que fueron *ellos* sus arquitectos.

ADVERTENCIA: EVITE SALVAR SIEMPRE A SUS HIJOS .

Cuando los niños están ante un problema, a menudo los padres caen en la tentación de asumirlo y resolverlo en vez de dejar que sean ellos quienes lo hagan. Esta forma de rescate aumenta la dependencia de los niños respecto de sus padres, al convertirse éstos en una "red de seguridad" en vez de ser "guías" que ayudan a los niños a encontrar las soluciones de los problemas.

Momento educativo

Un día, a su regreso del trabajo, Alfredo oyó un alboroto en el cuarto de Carlos. Cuando entró en él, Carlos estaba amenazando pegarle a Diego. — ¿Cuál es el problema? — preguntó, preocupado.

Carlos se quejó de que Diego había estado en su cuarto jugando con sus cosas mientras él estaba en la escuela.

— No quiero que él esté aquí desordenando mis cosas. ¡Oblígalo a permanecer fuera de aquí, papá! — rogó Carlos.

— Veamos si podemos encontrar una manera de resolver este problema — dijo Alfredo —. ¿Qué podrías hacer para evitar que él juegue con tus cosas?

— Cada vez que él entre aquí y use mis cosas, le pegaré — respondió Carlos, con notorio placer.

— Pues bien, si haces eso, ¿qué crees que ocurrirá? — preguntó Alfredo.

— ¡Se mantendrá lejos de mis cosas! — exclamó Carlos con entusiasmo.

— ¿Qué cosa mala podría ocurrir si le pegas? — preguntó Alfredo de manera inquietante.

— Oh — respondió Carlos —, ya entiendo. Me metería en un grave problema, ¿no es cierto?

— Sí, creo que así sería — continuó Alfredo muy serio —. ¿Qué otra cosa podrías hacer?

— Necesito un candado para mi puerta — respondió Carlos.

— ¿En dónde mantendrías la llave? — preguntó Alfredo —. ¿Y qué ocurriría si la perdieras?

— Podría mantenerla colgada de mi cuello en un cordón. Alvaro mantiene la llave de su casa en un cordón alrededor del cuello. Y tú podrías mantener otra llave escondida en la cocina, de manera que, si la pierdo, podamos abrir la puerta.

— Eso está bien pensado, pero es posible que tu mamá o yo necesitemos entrar en tu cuarto cuando tú no estés aquí. No creo que queramos tener que traer la llave cada vez — respondió Alfredo —. ¿Qué más podrías hacer?

— Tal vez podríamos ponerle llave a mi armario. Así yo podría guardar allí mis cosas buenas y Diego no podría usarlas — prosiguió Carlos.

— Ésa me parece una buena idea. Tengo una cerradura en mi banco de herramientas. Instalémosla en tu armario ahora mismo — repuso Alfredo, complacido de haber sido capaz de contribuir a que Carlos encontrara la solución del problema.

"Usted debe ser más sagaz que el problema que está resolviendo. Una de las cualidades principales que se requieren es la paciencia. Con ella, la respuesta cae a sus pies y todo lo que tiene que hacer es recogerla".

— Wade

Fomente la independencia. Cuando los niños actúan en forma independiente, están demostrando su capacidad para resolver problemas. Algunas veces, sin embargo, los padres desestimulan los brotes de independencia de los hijos, porque piensan que éstos no tendrán éxito en lograr su objetivo. Cuando sus hijos traten de hacer algo por sí mismos, anímelos si el riesgo es pequeño, incluso si a veces fracasan.

Advertencia: evite hacerse cargo cuando los niños se metan en problemas.

Por más problemático que pueda resultar algunas veces, los niños necesitan aprender a ser independientes a través del ensayo y el error. Cuando demuestren que pueden aceptar la responsabilidad de hacer ciertas cosas, y que cuentan con las habilidades para resolver muchos de los problemas que se les presentan, es el momento de soltar un poco más la cuerda de la cometa y fomentar la autosuperación y la confianza en sí mismos.

Momento educativo

Alicia estaba hablando por teléfono cuando Diego entró y pidió un vaso de jugo. Ella no podía terminar su conversación todavía, y le indicó que esperara. Como no se distinguía precisamente por su paciencia, Diego desapareció. Cuando Alicia finalmente colgó el teléfono y entró en la cocina, encontró a Diego limpiando afanosamente el jugo que había derramado en el suelo. El primer impulso de Alicia fue castigarlo por no haberla esperado, pero decidió que debía ayudarlo en su búsqueda de independencia.

Cuando Diego alzó la mirada, con expresión llena de pánico, ella dijo: — ¿Quieres que te ayude?

— Lo siento, mamá. No era mi intención derramarlo, pero salió tan rápido que el vaso se llenó y el jugo cayó al suelo.

— Sé que no fue tu intención derramarlo. Habrías podido esperar a que colgara el teléfono, pero querías hacerlo tú mismo. Así podías resolver tu problema tú mismo. Y estás aprendiendo cómo limpiar cuando ensucias.

Al permitirle servirse solo y cometer un error al hacerlo, Alicia sabía que le estaba ayudando a encontrar soluciones para lograr su independencia y autosuficiencia, dos metas que ella quería que él alcanzara.

Haga preguntas. Cuando los padres actúan como la autoridad máxima, los niños aprenden a depender de ellos para darles respuesta a sus problemas. Incluso si la solución que sus hijos eligen no es la que usted preferiría, permítales descubrir sus propios errores y no los salve resolviéndoles el problema. Si sus hijos le hacen preguntas sobre cómo resolver un problema, en vez de darles respuestas rápidas y fáciles, hágales preguntas que puedan conducirlos a descubrir las respuestas por sí mismos.

Momento educativo

Cuando Enrique le preguntó a su padre por qué tenía que limpiar su cuarto, Alfredo estuvo tentado de recurrir a la antigua réplica autoritaria: "¡Porque yo te lo digo!", pero sabía que, si empleaba esa frase, Enrique sólo aprendería a obedecer órdenes y no a pensar por sí mismo.

— ¿Por qué crees que te pedí que limpiaras tu cuarto? — le preguntó, en cambio, a su hijo.

— No lo sé — gimió Enrique —. Para ser malo, supongo.

— ¿Qué crees que sucedería si nunca lo limpiaras?

— No lo sé — respondió nuevamente Enrique.

— Como todavía no lo sabes, sentémonos aquí mientras piensas en algunas razones — sugirió pacientemente su padre.

Pronto comprendió Enrique que no podría ir a jugar hasta no haber resuelto este problema y haber limpiado su cuarto; así que empezó a pensar en por qué había que limpiar los cuartos.

— Supongo que si no lo limpiara, pasado un

tiempo habría tanta mugre y desorden que no podría
entrar — sugirió Enrique.

— Parece una buena razón — respondió Alfredo,
con una sonrisa —. Entonces, ¿qué tal si vas y lo
limpias para que puedas jugar luego? — añadió,
seguro de que al haber conservado su calma había
ayudado a su hijo a tener también cabeza fría y resolver *su* problema.

*"Si la única herramienta que tiene usted es un martillo,
tiende a ver cada problema como si fuera un clavo".*
— ABRAHAM MASLOW

13

S ER CONCILIADOR

"Yo mantengo mis ideales porque, a pesar de todo, todavía creo que en el fondo la gente es realmente buena".
— ANNE FRANK

conciliar. Poner de acuerdo o en paz a los que estaban en desacuerdo o en lucha. Armonizar, pacificar, apaciguar.
pacífico. *ad.* Sosegado, tranquilo. Se dice del que no provoca o fomenta o no es inclinado a provocar o fomenar luchas, discordias o discusiones. Apacible, no propenso a la violencia o a la irritación.

○ "Siento mucho haberte molestado. Trataré de ser más cuidadoso".
○ "Heriste mis sentimientos, pero estoy seguro de que ésa no era tu intención".
○ "Mamá, estuvimos a punto de pelearnos para ver quién sería el primero, pero resolvimos echarlo a cara o cruz".
○ "Supongo que tengo que disculparme. Fue culpa mía".

LA PALABRA 'CONFLICTO' SUENA MUY INOCENTE pero designa el hecho más amenazador de la vida humana. Debido a que existen opiniones diferentes, asuntos personales prioritarios, al igual que necesidades y deseos individuales, surgen conflictos sobre todo, y casi inevitablemente, cuando más de una persona interviene en la toma de una decisión. "Escuche a los demás y ellos lo escucharán a usted" es una manera sencilla de iniciar el proceso para resolver un conflicto pacíficamente, mediante el entendimiento de la posición de cada persona, y para tratar de negociar un compromiso, mostrando al mismo tiempo empatía hacia los asuntos de los demás. Cuando un niño aprende cómo llevarse bien con los demás, tanto en momentos de acuerdo como de desacuerdo, aprende mucho más que a zanjar las diferencias pacíficamente; también adquiere la capacidad de ponerse en el lugar de otra persona, que es la base fundamental para aprender a observar una conducta virtuosa.

"Se requiere ser un hombre superior para admitir la propia culpa".

— ALEXANDRA

¿A QUÉ NOS REFERIMOS CUANDO HABLAMOS DE SER CONCILIADOR?

o Para ser conciliador se requiere tratar de entender, con esmero, las necesidades y deseos de los demás.
o Una buena forma de ser conciliador es trabajar en la búsqueda de una solución que satisfaga a todo el mundo.
o Demostrar empatía cuando se está escuchando a los demás puede evitar el conflicto.

○ Estar seguros de nuestros derechos y nuestra posición ante un tema puede ayudarnos a evitar enfadarnos y, por lo tanto, a evitar el comienzo de un conflicto.

○ Una característica del conciliador es estar consciente de que, en situaciones de grupo, un resultado en el que todas las partes ganen es preferible a uno en el que una de las partes gane a toda costa .

Conozca a la familia Pérez

Héctor y Rosa Pérez eran dolorosamente conscientes de la necesidad de mantener la paz cuando estaban con sus tres hijos: Manuel, de doce años, Martín, de nueve, y Lucinda, de cinco. La guerra verbal entre los niños era permanente y a menudo violenta. ¡El conflicto se producía hasta por el simple hecho de compartir el espacio! En vez de enfurecerse ellos también, los Pérez decidieron iniciar un programa de entrenamiento para manejar los conflictos, que idearon basándose en un programa similar que habían puesto en ejecución en la oficina de Héctor.

Herramientas de enseñanza

Dé ejemplo de maneras apropiadas de resolver conflictos sin violencia. ¿Cómo resuelve usted sus diferencias con su cónyuge o sus amigos? ¿Actúa con rencor, grita y tira el teléfono cuando se enfurece con alguien? Los niños aprenden mejor cuando ven a sus padres comportarse como a ellos (los niños) les han dicho que deben hacerlo. Cuando usted se encuentre en la posición inevitable de disentir de la opinión de una persona, emplee buenas estrategias para resolver conflictos, de modo que sus hijos observen cómo enfrentar un conflicto de manera positiva.

ADVERTENCIA: NO EMPLEE LA AGRESIÓN PARA CONTROLAR A LOS NIÑOS.

Los niños que ven a los adultos resolver conflictos en forma agresiva y violenta emplearán, muy probablemente, la misma actitud al resolver sus propios conflictos. Cuando usted emplea castigos corporales, les está enseñando a sus hijos a utilizar la violencia como instrumento para resolver problemas.

Momento educativo

Héctor y Rosa estaban discutiendo si debían o no reemplazar el sofá de la sala. Rosa estaba aburrida con el aspecto lamentable del viejo sofá, pero Héctor pensaba que era perfectamente adecuado mientras los niños fueran tan pequeños, porque apenas estaban aprendiendo a respetar la propiedad de los demás. Para su sorpresa, notaron que sus hijos estaban intrigados con la discusión y pendientes de cada una de las palabras de los padres. Para tratar de representar un buen papel, Héctor y Rosa empezaron a escuchar más atentamente los argumentos de cada cual y a decir en otras palabras lo que creían que el otro había dicho.

— Déjame ver si entiendo lo que dijiste — dijo Héctor —. Tú crees que debemos conseguir un sofá de mejor calidad ahora, porque nuestros hijos ya están lo suficientemente mayores como para poder cuidarlo mejor.

— Sí, eso creo — respondió Rosa.

— Tal vez mientras averiguamos qué sofás se consiguen en los almacenes y a qué precios, podríamos contar el número de veces que algo se derrama en este sofá y qué tan a menudo los niños lo maltratan — sugirió Héctor.

— ¿Quieres decir que aceptarás la idea de comprar uno nuevo si podemos demostrar que los niños lo cuidarán? — preguntó Rosa.

— Creo que podemos comprarlo si no es muy costoso. Como ya dije: si vamos a comprar muebles nuevos, no quiero que ellos los destruyan.

— Podremos negociar sobre el precio después que sepamos cuál es la escala de precios — repuso Rosa, complacida de que hubieran podido resolver el conflicto.

Enseñe a sus hijos a controlar la ira. La ira es la razón principal por la cual no se pueden resolver los conflictos. Cuando una persona está furiosa, no está abierta al raciocinio, ni a escuchar las ideas de los demás. De hecho, cuando la ira se desata, ¡es como si a la persona se le encogiera el cerebro! Cuando una persona está fuera de control, es porque su ira está en su máximo. En vez de dejarse llevar por la ira y perder el control, trate de comprender por qué en determinadas ocasiones se pone furioso, y enseñe a sus hijos a ser introspectivos, para que ellos también puedan entender sus reacciones. Cuando usted haya descubierto cuál es el problema, ponga en práctica la forma eficiente de resolver problemas. Empiece este proceso enseñándoles a los niños a aislarse cuando estén furiosos. Una vez aislados, pueden calmarse a sí mismos repitiendo las palabras: *paz, calma, tranquilidad, sosiego*. Mientras dicen estas palabras, sugiérales que visualicen algo pacífico, que piensen sobre la tranquilidad, que traten de sentir calma y piensen en la quietud. Cuando estén calmados, anímelos a reflexionar sobre la situación que produjo el conflicto, y a que le cuenten su historia. En ese momento pueden empezar a resolver el problema.

"Arregle el desorden. La frustración y la ira no pueden resolver el conflicto".

— Wade

Momento educativo

Cuando Rosa oyó una gritería, rápidamente fue al cuarto de estar, en donde sus hijos Martín y Manuel estaban discutiendo sobre a quién le tocaba el turno de utilizar el videojuego.

— ¡Yo estaba aquí primero! — gritaba Martín.

— ¡Oigan! — gritó Rosa para hacerse oír —. ¿Cuál es el problema?

— Yo quería jugar con el videojuego, y Manuel me quitó el control y empezó a jugar — explicó Martín.

— Pero, mamá — repuso Manuel —, voy a ir a practicar baloncesto dentro de media hora, y Martín no quiere dejarme jugar. ¡Él podrá jugar durante todo el tiempo en que yo esté fuera!

— ¡Yo llegué primero! — replicó Martín —. Él no me puede quitar el control, porque yo llegué primero.

— ¿Qué piensan ustedes que pueden hacer respecto a este problema? — preguntó Rosa.

— Él puede dejarme jugar — dijo Manuel.

— Yo llegué primero — insistió Martín.

— Les diré una cosa — dijo Rosa —. Arreglan el problema o guardo el videojuego y nadie podrá utilizarlo hasta mañana. ¿Qué piensan que pueden hacer para solucionar este conflicto?

— ¿Qué tal si me dejas jugar hasta la hora del baloncesto, y el resto de la semana juegas tú primero? — propuso Manuel.

— Sí, pero tú tienes práctica de baloncesto todos los días a la misma hora. De todas maneras querrás ser el primero todos los días — replicó Martín.

— Está bien. Entonces, ¿qué tal si me dejas jugar todos los días hasta la hora de la práctica y tú juegas durante todo el sábado, si así lo deseas? — propuso Manuel.

— ¿Qué tal si juegas tú el sábado y me permites ir contigo y tus amigos a la videotienda del centro comercial el viernes por la noche? — replicó Martín.

— No sé... — dijo Manuel —. No creo que a mis amigos les guste que estés con nosotros. Tal vez pueda convencerlos de que no nos molestarás. Pero no te dejes ver si estamos conversando con algunas niñas.

— No te preocupes — dijo Martín —. ¡De ningún modo quisiera estar cerca de ellas!

— Gracias, muchachos. Me alegra que hayan arreglado el problema. Recuerden que si el juego causa conflictos, lo guardaré — dijo Rosa, complacida de no haberles solucionado a sus hijos el problema, en vez de que ellos mismos lo hicieran. ¡Nunca hubiera encontrado la solución que *ellos* adoptaron!

Haga reuniones familiares regularmente. Cuando las familias hacen con regularidad reuniones para resolver problemas, los niños aprenden cómo solucionar conflictos en el contexto de una reunión. Para crear una modalidad de reunión familiar, fije semanalmente una hora en que habitualmente todos los miembros de la familia estén en casa; por ejemplo, los domingos por la mañana. La dirección de la reunión debe rotarse, para que cada miembro de la familia tenga la oportunidad de presidir una. Se debe alentar a los miembros de la familia a que lleven sus problemas a la reunión semanal. Una regla que todos deben acatar: quien lleve un problema, debe también llevar una sugerencia para su solución.

ADVERTENCIA: NO RESUELVA NI INTERVENGA EN LOS CONFLICTOS DE SUS HIJOS.

Cuando los padres intervienen y se hacen cargo de los conflictos, de manera que los niños se libran de tener que resolverlos ellos mismos, éstos no aprenden el procedimiento de encontrarles solución a los problemas. A fin de evitar dicha intervención, emplee la técnica de formular preguntas para que sus hijos se vean forzados a pensar sobre los problemas y a encontrar sus propias soluciones.

"En una situación difícil, actúe como conciliador.
Cuando se presenta una pelea, yo simplemente me alejo.
No vale la pena intervenir".
                                        — David

Momento educativo

—¡Hora de la reunión familiar! — anunció Rosa con la música de fondo de los lloriqueos de sus hijos —. ¿Quién preside esta semana?

— Papá — dijo Lucinda animadamente.

— ¿Quién quiere presentar un problema ante este tribunal? — preguntó solemnemente Héctor.

— Yo — dijo Lucinda —. ¡Tengo un problema que me está volviendo loca!

— ¿Cuál es el problema, mi amor? — dijo Héctor cariñosamente.

— No me gusta que Manuel y Martín siempre puedan hacer cosas que yo nunca puedo hacer. ¡No es justo! — respondió.

— ¿Qué sugieres que hagamos? — preguntó Héctor, controlando su deseo de explicarle amablemente la diferencia de edades y de tratar de convencerla de que era demasiado joven para hacer las cosas que ellos hacían.

— Creo que deberían cambiar las reglas, para que yo pueda hacer todo lo que ellos hacen — respondió Lucinda, malhumorada.

— Si cambiamos las reglas, ¿en qué te beneficiará eso a ti? — inquirió Héctor.

— Pues en que será justo — repuso Lucinda.

— ¿Y que pasaría si nunca fuera justo?

— ¡Entonces me pondría furiosa!

—Y si estás furiosa, ¿cómo podrías manejar esa situación? — preguntó pacientemente Héctor.

—Tal vez si me voy a mi cuarto a escuchar música, me olvidaré de todo esto — replicó Lucinda.

—Ésa es una buena manera de hacer desaparecer tu ira — dijo Héctor —. Creo que es bueno hacer eso cuando la vida no está de tu lado.

Héctor y Rosa estaban complacidos con sus reuniones familiares por lo que se estaba aprendiendo en ellas. Sus hijos se estaban volviendo mucho menos exigentes, porque ahora sentían que tenían el poder de, por lo menos, presentar sus quejas ante el grupo familiar entero. Sabían que antes de abandonar la reunión, el problema sería planteado y se estudiarían soluciones.

Supervise la televisión. La fuente más constante de ejemplos inapropiados de manejo de los conflictos llega directamente a su hogar todos los días a través de su televisor. Para ayudar a sus hijos a aprender cuáles estrategias de manejo de conflictos son apropiadas y cuáles no lo son, es importante intervenir en lo que ellos están mirando para, por lo menos, poder presentar una solución apropiada.

Momento educativo

Héctor y los niños estaban mirando un partido de fútbol por la televisión, en el cual dos jugadores iniciaron una pelea. Los dos niños estaban realmente emocionados con la pelea y sufrieron una gran desilusión cuando los árbitros y los entrenadores la dirimieron.

— ¿Por qué hizo eso el arquero? — preguntó Héctor a fin de evaluar el grado de comprensión de sus hijos.

— Porque estaba furioso. El otro jugador lo empujó y quería mostrarle que no podía hacer eso y salirse con la suya — respondió Manuel.

— ¿Y eso era lo correcto? — preguntó Héctor.

— ¡Claro que sí! — confirmó Martín —. Él no puede darse el lujo de estar al borde de golpear al arquero!

— ¿Podría haber manejado la cuestión de otra manera?

— Supongo que habría podido pasarla por alto o hablar con el árbitro — repuso Manuel.

— Si la hubiera pasado por alto o hubiera presentado una queja, entonces ¿qué habría sucedido? — preguntó su padre.

— Nada, supongo — respondió Manuel lentamente —. ¿Pero no habría pensado el otro jugador que se había salido con la suya?

— ¿Y eso qué? — preguntó Héctor —. ¿Qué importancia tendría que se hubiera salido con la suya? Es sólo un juego, y si hubiera seguido empujando a los jugadores del otro equipo, habría terminado por pegarle a alguno y finalmente habría perdido el juego.

— Sí, supongo que sí — repuso Manuel —. No es algo tan importante.

Héctor estaba complacido de haber ayudado a sus hijos a pensar sobre cómo resolver un conflicto. Cada día veían demasiados ejemplos en que las disputas se resolvían de manera violenta. Sólo es-

peraba poder continuar ayudando a sus hijos a
volverse hacia las negociaciones pacíficas y el razonamiento, en vez de emplear medios violentos para
resolver los conflictos.

Enseñe el arte de la negociación. Uno de los instrumentos
más comúnmente empleados por el conciliador es el de la
negociación. Cuando las dos partes se encuentran en un
punto muerto, el conciliador hábil a menudo logra condu-
cirlas hacia una solución que ambas consideran beneficiosa.
Para la negociación es decisivo actuar sobre la base de la
colaboración, de manera que las dos partes puedan trabajar
juntas para lograr una meta común, y no buscar un compromiso en que ambas sientan que perdieron algo. Trabajar por
el bien común al hacer la paz completa el círculo de este
importante valor moral, pues ayuda tanto a los otros como
a uno mismo.

Momento educativo

Cuando su hijo Manuel quiso aprender a tocar la
batería, Rosa y Héctor respondieron en coro:
— ¡De ninguna manera!
— ¿Por qué no? — replicó Manuel —. Todos mis
amigos están consiguiendo instrumentos, y queremos formar una banda.
— Ya nos oíste — respondió Héctor —. Dijimos
que no. Eso es todo.
Más tarde, al reflexionar sobre la solicitud de
Manuel, vieron que tenía sus pros y sus contras. Ellos
querían que sus hijos se interesaran por la música,
pero les habría gustado que se tratara de un instrumento menos perturbador que la batería. Pasó un

tiempo sin que hablaran con Manuel, pero unos días después él se les acercó.

— ¿Puedo hablar con ustedes un momento? — les preguntó. Les sorprendió mucho su solicitud. En general, simplemente irrumpía en el cuarto y empezaba a hablar —. Es acerca de la batería. He estado pensando en por qué ustedes no quieren que aprenda a tocarla. Es por el ruido, ¿no es cierto?

— Sí, sería bastante ruidosa — replicó Héctor.

— ¿Qué tal una guitarra? — propuso Rosa —. Estoy segura de que podrías entrar en una orquesta o en un conjunto si tocaras guitarra.

— Todo el mundo toca guitarra — dijo Manuel con desdén —. Si mis amigos y yo formamos una banda, necesitaremos un baterista. Eso es lo que yo quiero hacer: tocar batería.

— No sé — dijo pensativamente Héctor —. La batería es bastante costosa, y necesitaríamos establecer unas reglas para la práctica: dónde, cuándo y cuánto.

— Papá, yo puedo conseguir el dinero — anotó Manuel ansiosamente —. Me estoy ganando bastante en mi empleo de vacaciones, y conozco a un muchacho que quiere vender su batería para comprar otra mejor. Él dice que para un principiante ésa está bien.

— ¿Y qué hay de las clases? — preguntó Rosa —. Necesitarás aprender a tocar.

— Pues, el muchacho de la batería dijo que me enseñaría los elementos básicos, y que el profesor de música del colegio da clases.

— Y ¿quién es ese muchacho? — preguntó Héctor, curioso.

— Oh, él es un estudiante de quinto de bachillerato, que ayuda a entrenar el equipo de fútbol de Eric. Es muy simpático.

— Y ¿qué hay de la práctica? — prosiguió Rosa —. ¿Cuándo practicarías?

— Practicaré — respondió Manuel —. Por eso no te preocupes.

— Sí, eso ya lo dijiste antes — repuso Héctor —. Queremos más detalles. Te diré algo: haz un horario de práctica, ordena tu cuarto para que puedas poner allí la batería, preséntanos un presupuesto para que sepamos cuánto vale y cuánto dinero necesitarás, y veremos si el plan es factible.

— ¡Gracias, papá y mamá! — dijo Manuel y salió corriendo.

Rosa y Héctor se sintieron bien con su negociación. Manuel estaba demostrando mucha responsabilidad y creían que podría cumplir su parte del trato. Se daban cuenta de que la disciplina requerida para tomar clases de batería y practicar le haría mucho bien, y ellos estaban logrando el anhelado interés en la música que se habían propuesto inculcar en sus hijos.

"Mis padres me han dicho, una y otra vez, que pelear no vale la pena porque siempre alguien sale herido. Cuando tenemos que resolver un conflicto con mi hermana y mi hermano, nos sentamos a conversar sobre cómo resolverlo".
— DUSTIN

Ayude a los niños a emplear la empatía y la comprensión en sus esfuerzos por colaborar. Para poder resolver un conflicto pacíficamente, uno debe ser capaz de ver la posición de la otra parte y de interesarse en lo que le ocurrirá a ella como resultado de la negociación. Cuando ninguna de las partes negociadoras se interesa en lo que le ocurre a la otra, el resultado más probable es la hostilidad. A medida que aumenta el interés por los demás, crecen también la franqueza y la cooperación, y la posibilidad de que ambas partes trabajen unidas por el bien común.

Momento educativo

Martín y un amigo estaban jugando con un juego de construcción, cuando empezaron a discutir sobre qué iban a construir.

—Tú siempre quieres construir cohetes y cosas de ese estilo — le decía Martín a su amigo —. Yo quiero construir un castillo o algún tipo de edificio.

— No, eso fue lo que hicimos la última vez — replicó su amigo Pablo —. Tú siempre quieres construir edificios, y eso es aburridor.

— Pues ésta es *mi* casa, y si no quieres jugar a lo que yo quiero, ¡puedes irte a la tuya! — contestó Martín, enfurecido.

— ¡Ah, sí, oblígame! — exclamó Pablo y se preparó para pelear.

— ¡Hola, niños! ¿Qué ocurre? — dijo Rosa desde el corredor. Había escuchado la gritería y había decidido que era mejor ver cuál era el problema.

— Él nunca quiere hacer lo que yo quiero — dijo Martín refiriéndose a su amigo.

— Cuando estás en mi casa, siempre eres el que elige — fue la airada respuesta —. Mi madre me obliga a hacer lo que mis invitados quieran.

— Tal vez podamos encontrar una solución — empezó a decir Rosa —. Calmémonos y analicemos el problema. Ustedes han sido amigos desde hace mucho tiempo, ¿no es así?

— Sí, supongo que sí — dijo Martín, mirando al piso.

— Y les gusta jugar juntos, ¿no es cierto? — prosiguió.

— Sí, la mayoría del tiempo, sí —. Fue la respuesta.

— Piensa en cómo se debe sentir Pablo ahora. Su mejor amigo está realmente furioso con él sólo porque él quiere hacer una cosa y su amigo quiere hacer otra. ¿Cómo te sentirías tú si estuvieras en su casa y él no te permitiera jugar a lo que tú quisieras?

— Probablemente me pondría furioso y regresaría a casa — murmuró Martín.

— ¿Cómo crees que se podría solucionar esto? — preguntó Rosa.

— ¿Qué tal si construimos una estación espacial y un cohete? — propuso Pablo —. Así ambos construimos lo que queremos, jugamos más tiempo y ninguno de los dos se pondrá furioso.

— ¡Sí, es buena idea! — repuso Martín, con viveza —. Yo construiré los edificios mientras tú trabajas en el cohete y en la plataforma de lanzamiento.

Después de una larga pausa, Martín dijo tímidamente:

— Siento haberme puesto furioso contigo, Pablo. Supongo que es justo permitirte hacer lo que quieras cuando vengas aquí. Tú eres el invitado. No pensé en cómo te sentirías al ser tan egoísta y sólo querer hacer lo que a mí me place.

Rosa estaba complacida de que los muchachos hubieran podido colaborar para encontrar una solución, puesto que había resultado tan bien. Estaba segura de que, en el futuro, Martín seguiría teniendo en cuenta los sentimientos de sus amigos cuando jugara con ellos.

"En esta era de guerras mundiales, en esta edad atómica, los valores han cambiado. Hemos aprendido que somos huéspedes de la existencia, viajeros entre dos estaciones. Debemos buscar la seguridad en nuestro interior".

— BORIS PASTERNAK

14

INDEPENDENCIA

*"Ningún pájaro vuela demasiado alto,
si lo hace con alas propias".*
— WILLIAM BLAKE

independencia. *f.* Libertad autonomía. Entereza, firmeza de carácter.
independiente. *adj.* Que no tiene dependencia, que no depende de otro.

- "Pareces estar divirtiéndote mucho jugando tú solo".
- "Estoy jugando con mis muñecas. Estamos jugando a la casita".
- "¡Prefiero leer un libro a hacer cualquier otra cosa!"
- "He estado en mi cuarto dibujando con mis lápices de colores".

AL OPRIMIR UN BOTÓN, LOS NIÑOS DE HOY pueden transportarse, sin realizar ningún esfuerzo, a una amplia variedad de mundos fantásticos. Pensar en la manera de entretenerse es un esfuerzo mucho mayor del que muchos de ellos quieren hacer, y por eso eligen maneras más sencillas, que dependen de otros, para entretenerse y divertirse.

"El hecho de que puedas, no quiere decir que debas" es la frase sabia que se debe tener en mente cuando se les está ayudando a los niños a comprender que sólo porque ahora *pueden* mirar televisión, escuchar la radio o entretenerse con un viedojuego las veinticuatro horas del día, no quiere decir que ésa sea la mejor manera de invertir su tiempo. Cuando los niños apagan el televisor, su "amigo" fácilmente accesible, y se entregan a un juego de la vida real que depende del poder de su cerebro, no del de la electricidad, florecen tanto su grado de satisfacción como su sentido de realización personal.

¿A QUÉ NOS REFERIMOS CUANDO HABLAMOS DE INDEPENDENCIA?

O Para ser independiente, es necesario tener la capacidad de disfrutar de actividades que sean autogeneradas.
O Los niños independientes son movidos por fuerzas que surgen de su interior y no por las que ejerce el entorno.
O Para entretenerse a sí mismo, un niño debe utilizar su imaginación y su creatividad.
O Cuando un niño elige buscar por sí mismo lo que necesita, debe dejar de lado su necesidad de obtener satisfacción inmediata.
O Los niños siempre deben tener acceso a actividades poco costosas que fomenten su independencia.

CONOZCA A LA FAMILIA RODRÍGUEZ

Claudia, una madre soltera con dos hijos, Daniel, de ocho años, y Laura, de seis, comprendió la necesidad de enseñarles independencia a sus hijos, cuando éstos empezaron a exigirle dedicación permanente. Ellos sufrían de aburrimiento crónico y diariamente querían que ella les organizara actividades interesantes y emocionantes. Vivían "prendidos" a la televisión o le exigían que alquilara viedojuegos o que les trajera a sus amigos a casa para entretenerse. Cuando su hija menor cumplió tres años, Claudia decidió llevar a cabo un programa para enseñarles a sus hijos cómo entretenerse a sí mismos, a fin de que dependieran menos de ella y adquirieran autonomía.

HERRAMIENTAS DE ENSEÑANZA

Enseñe a los niños a usar una voz interior positiva. La gente "se habla" a sí misma todo el tiempo, y es su voz interior la que dirige su comportamiento y sus sentimientos. Si la voz interior es positiva y afirma la personalidad, puede aumentar la capacidad de una persona para confiar en sus propios recursos. Por el contrario, cuando las cosas que la gente se dice a sí misma son negativas ("¡Esto es terrible!" "Soy un imbécil, ¡no sirvo para nada!") su confianza en sí misma puede caer en picada. Para ayudar a los niños a adquirir confianza en sí mismos e independencia, es importante enseñarles que su voz interior debe tener un tono positivo, que afirme su personalidad y diga "sí puedo".

Momento educativo

— ¡Soy tan tonta! — dijo Laura al cometer un error en un dibujo que estaba haciendo —. ¡Cometo tantos errores!

— ¿Por qué crees que cometer errores significa que seas tonta? — preguntó su mamá.

— Debería ser capaz de hacer un dibujo sin echarlo a perder — repuso Laura, quejumbrosa.

— ¿Cuántos años tienes? — preguntó Claudia.

— Mamá, sabes que tengo seis... casi siete — contestó Laura, sonriente.

— Pues, me parece que si tienes seis años puedes cometer errores de vez en cuando — prosiguió Claudia —. Yo cometo errores y tengo muchos más años.

— No me gusta cometer errores — repuso Laura.

— No creo que a nadie le guste cometerlos, pero todos lo hacemos. Simplemente así somos los seres humanos — dijo Claudia —. Tengo una vocecita en mi cabeza que me dice que está bien cometer errores, por eso no me altero cuando los cometo.

— Yo tengo una vocecita que dice que soy tonta — dijo Laura —. ¿Cómo hago para que diga otra cosa?

— Simplemente la *obligas* a decir otra cosa — respondió Claudia —. Cuando la voz diga "tonta", tú dices en voz alta: "No soy tonta. Simplemente cometí un error". Así harás que la voz diga algo más benéfico que "tonta".

En las semanas siguientes, Claudia escuchó a Laura hablarse en voz alta mientras trataba de corregir su vocecita interior. Claudia también notó que

Laura parecía un poco más contenta y que incluso se estaba llevando mejor con su hermano. Parecía estar más segura de sí misma a medida que iba dejando de ser tan perfeccionista.

Dé ejemplo de la capacidad de entretenerse a usted mismo. Para que sus hijos aprendan cómo depender esencialmente de sí mismos para entretenerse, necesitan que se les enseñe mediante el ejemplo. Haga una lista de actividades fácilmente realizables, que no sean costosas, que usted disfrute, y elija una diaria. El secreto de dar ejemplo en esto reside en describir cómo se siente de bien al realizar esas actividades, de manera que su "audiencia" establezca un vínculo entre los sentimientos positivos de usted y esas actividades.

"Siempre hay algo que hacer. El aburrimiento estimula la falta de inteligencia".

— CLAIRE

Momento educativo

—Mamá, ¿por qué no estás mirando televisión? Hoy son tus programas favoritos — preguntó Daniel cuando vio que su madre tomaba un libro después de la cena, en vez de encender el televisor, como hacía de costumbre.

— He decidido que estoy cansada con la televisión, y prefiero leer un buen libro — respondió ella —. ¿Por qué tú no traes un libro también y lees?

— No me gusta leer; y además, la televisión es más divertida — repuso Daniel mientras se apoderaba del control remoto.

— No, Daniel — dijo Claudia con firmeza —. Esta noche no habrá televisión. Vamos a entretenernos sin su ayuda.

— Mamá, estoy aburrida — se quejó Laura —. Quiero mirar televisión.

— Puedes traer tus lápices de colores y dibujar un rato, jugar con tus muñecas o jugar a algo con Daniel. Tú eliges: encuentras algo qué hacer para entretenerte, o yo te daré alguna labor para que te mantengas ocupada. Tú decides qué quieres hacer — repuso Claudia con toda naturalidad.

Después de algunos murmullos y quejas, los niños resolvieron entretenerse con un juego de mesa. Esta lección fue tan esclarecedora para Claudia como para sus hijos, porque no había caído en la cuenta de cuánto dependía su familia de ella para entretenerse, y en qué forma la dependencia de la televisión había aumentado en la familia. Más aún: los resultados negativos (falta de energía, de creatividad e ingenio) que esta dependencia producía sólo fueron evidentes cuando apagó la televisión y empezó a buscar realmente distintas maneras de llenar sus días y sus noches.

Disminuya el tiempo dedicado a mirar televisión. Los niños, al igual que muchos adultos, pueden volverse cada vez más dependientes del entretenimiento que ofrece la televisión. Para reducir la dependencia de sus hijos de la televisión e incrementar su autonomía y su capacidad para entretenerse por sí solos, se debe restringir el tiempo dedicado a mirar televisión. Para hacer esto, reúnase con sus hijos y establezca un horario semanal que fije una hora diaria de televisión.

Después exija su cumplimiento de la misma manera como exige el cumplimiento de cualquiera de las demás normas de su hogar.

ADVERTENCIA: NO PERMITA QUE SUS HIJOS MIREN TELEVISIÓN CUANDO SE LES ANTOJE.

Los niños a quienes se les permite mirar todos los programas de televisión que desean y cuando lo desean, pueden volverse dependientes de otros para entretenerse con actividades que no les exigen ni mover un dedo. Es difícil sobreponerse a esta dependencia, y las investigaciones han demostrado que esto puede llevar a los niños a la disminución de la capacidad de lectura y a la obesidad.

Momento educativo

— Vamos a decidir qué programas de televisión miraremos cada día; así que hagamos una lista de los que nos gustan — anunció Claudia un día.

— Pero, ¿por qué no podemos mirar televisión todo el tiempo que queramos? — preguntó Laura, con el asentimiento de su hermano.

— Porque miramos demasiada televisión, y no es bueno que nuestros cerebros permanezcan inactivos tanto tiempo. Además, nos hemos vuelto dependientes de los personajes de la televisión, y son ellos quienes piensan y viven por nosotros. ¡Necesitamos vivir nuestra propia vida! — contestó Claudia.

Sus hijos refunfuñaron y dijeron que no querían

pensar y que sus vidas nunca podrían ser tan interesantes como las de los personajes de la televisión.

— Bueno, ¿qué quieren ver cada día? — les preguntó a sus hijos, para proseguir con su plan.

Cuando terminaron la lista, les pidió a los niños que cada uno señalara el programa que más le gustaba, después el siguiente mejor y así sucesivamente. Basándose en esta clasificación, escogieron una hora en que podían mirar juntos, y Claudia decidió diferir la hora en que ella miraría hasta después que los niños se acostaran. Pasado un tiempo, terminó por no mirar televisión y finalmente descubrió que sus hijos habían ido perdiendo su interés en ella, a medida que se volvió más divertido inventar distintas actividades que pasarse el tiempo mirando cómo los personajes ficticios de la televisión vivían.

Elogie la creatividad. Los niños que aprenden a ser creativos siempre tendrán la posibilidad de disponer de herramientas internas para entretenerse a sí mismos. Para aprender a ser creativos, los niños deben tener la libertad de expresar sus pensamientos y sentimientos, y deben recibir retroalimentación positiva por arriesgarse a ser creativos. Tenga siempre presente que los niños que reciben recompensas materiales por lo que crean, terminan trabajando sólo por las recompensas y no por el fortalecimiento intrínseco del proceso creativo.

Momento educativo

— ¡Mira, mamá! — exclamó Laura mientras le enseñaba a su madre un dibujo en el que había estado trabajando.

— Oh, Laura — replicó Claudia —. Seguramente trabajaste mucho para hacer este dibujo. Debes estar muy orgullosa de ti misma. ¿Sabes lo que podríamos hacer? Utilicemos este dibujo para hacer un libro que tú misma escribas y que puedas leer siempre que lo desees.

— Empezaron a escribir una historia, y Laura le iba indicando a Claudia qué poner en cada página. Después Laura ilustró el libro y lo encuadernó.

— ¿Puedo llevarlo a la escuela y mostrárselo a mi profesor?— preguntó. Claudia estuvo de acuerdo, pues confiaba en que el profesor elogiaría el esfuerzo de Laura y no los dibujos o la historia. De esa manera, Laura continuaría deseando realizar esfuerzos creativos en vez de esperar hacer siempre algo "maravilloso".

Enseñe estrategias para adquirir independencia. A menudo los niños se sienten perdidos, pues no saben qué hacer cuando se les priva del entretenimiento pasivo (la televisión) al cual están tan acostumbrados. Para ayudar a sus hijos a idear maneras de entretenerse a sí mismos, anímelos a pensar en actividades realizables económicamente, que sean agradables y seguras, y a confeccionar una lista de ellas. Entonces, cuando se lamenten de no tener nada qué hacer, pídales que consulten la lista. Si todavía no saben leer, escriba usted la lista y léasela. Para animar a los niños a encontrar actividades alternativas, elógielos cuando se entreguen a una actividad constructiva y ofrézcase a encontrar alguna tarea que ellos puedan hacer en caso de que no encuentren dentro de la lista o fuera de ella alguna manera de entretenerse.

Advertencia: no entretenga a los niños
constantemente.

Algunos padres se preocupan porque piensan que
sus hijos se sentirán abandonados si no los entretie-
nen todo el tiempo. Los padres que programan días
llenos de actividades están impidiendo, en realidad,
que sus hijos adquieran autonomía y experiencia en la
manera de encontrar formas de entretenerse. Concé-
dales tiempo libre durante el cual busquen sus propias actividades para que puedan adquirir práctica en
cómo entretenerse por sí solos.

Momento educativo

— Estoy aburrido — dijo Daniel un sábado. Claudia
sabía que el mejor amigo de su hijo estaría ausente
durante el fin de semana, y que los dos niños habían
planeado jugar en la casa-club que habían construido
en el jardín.

— Sé que querías jugar con Arturo hoy, pero se
fue por todo el fin de semana — repuso Claudia —.
¿Se te ocurre algo divertido que puedas hacer tú
solo?

— ¡No sé! — respondió Daniel de mala gana —.
Tú no me permitirás mirar televisión; de manera que
no tengo nada qué hacer.

— Creo que tú sabes que hay cantidad de cosas
que puedes hacer — repuso Claudia —. Tienes la
lista que hicimos juntos de las cosas con que disfru-
tas. Si quieres evitar el aburrimiento, tal vez puedas
encontrar en tu lista algo que resulte divertido hacer
hoy.

— ¡No quiero hacer esas cosas! ¡Quería jugar con Arturo! — exclamó Daniel, furioso.

— Entonces, Daniel — repuso Claudia pacientemente —, supongo que debo encontrar algo que puedas hacer. Déjame pensar. Podrías aspirar, lavar el piso de la cocina o recoger las hojas del jardín. Decide lo que quieras. Puedes encontrar una forma de entretenerte o puedes trabajar para mí.

Daniel salió en estampida, y pronto se encontraba en el garaje con un martillo, clavando tablas.

— ¿Qué estás fabricando? — preguntó Claudia.

— Estoy haciendo una repisa para nuestra casaclub. Cuando Arturo la vea, le gustará.

Su madre sonrió.

— ¡Daniel, qué buena idea! Cómo eres de creativo y cómo te entretienes de bien a ti mismo — dijo, y bajó los párpados en señal de apreciación del ingenio que su hijo había demostrado. Ella sabía que Daniel *podía* ser ingenioso. Tan sólo se había requerido que ella tuviera la suficiente firmeza para no rescatarlo de su aburrimiento y no proporcionarle ella misma el entretenimiento.

"No creas en nada, no importa dónde lo hayas leído,
ni quién lo haya dicho, no importa si lo he dicho yo, a no ser
que concuerde con tu razón y con tu sentido común propio".
— BUDA

15

Automotivación

"El propósito de la vida es tener una vida con propósito".
— Robert Byrne

motivo. *m.* Impulso, móvil. Causa que actuando en el ánimo de alguien, le mueve a realizar cierta acción.
impulso. *m.* Fuerza espiritual que mueve a obrar o a hacer algo. Aliento, decisión, determinación, empuje, resolución, vitalidad.

o "Mamá, tengo que hacer una tarea muy larga, por eso voy a empezar a hacerla ya".
o "Siempre hago mis deberes antes de jugar. De esa manera puedo jugar sin tener que pensar en que debo hacer otras cosas".
o "Me gusta como se ve mi cuarto cuando lo mantengo ordenado".
o "Quiero levantarme temprano el sábado para hacer las labores domésticas que me corresponden antes de ir a jugar fútbol".

¡REGAÑAR, REGAÑAR, REGAÑAR! Si usted siente que lo único que hace a diario es repetir, recordar y lamentarse del comportamiento de sus hijos, esta lección le va a ayudar tanto a usted como a su prole. Imagine el conjunto de deberes familiares, escolares y sociales de sus hijos como un molde para hacer tortas. Cuando el molde está boca abajo, no se puede preparar nada. Pero cuando ese mismo molde está boca arriba, es capaz de producir deliciosas tortas. Lo mismo ocurre con la automotivación. Sin embargo, si *usted* trata de verter las reglas dentro de sus hijos, como en un molde, nada se produce. Permita que sus hijos llenen sus vidas ellos mismos.

Para aprender a llenarse a sí mismos de impulso y determinación, los niños deben desarrollar primero un sistema interno de control. Dicho sistema se gesta al vivir con un conjunto de reglas y límites que inicialmente se establecen en el seno de la familia. Los niños que tienen un conjunto interno de reglas tienen más posibilidades de fijarse metas, de responder a la estructura externa de manera positiva y de respetarse a sí mismos. La automotivación es realmente el fundamento de la confianza en uno mismo y de la independencia, dos objetivos que sirven de base para vivir sanamente en la edad adulta: la meta última tanto de los niños como de sus padres.

"Conviértase a sí mismo tanto en el copiloto como en el piloto".
— WADE

¿A QUÉ NOS REFERIMOS CUANDO HABLAMOS DE AUTOMOTIVACIÓN?

o Estar automotivado consiste en responder a las fuerzas internas que dirigen a las personas hacia sus metas.

o Estar automotivado significa que una persona puede responder a la retribución intrínseca de una actividad, en vez de necesitar siempre una retribución externa.

o Cuando una persona está automotivada, tiene un conjunto interiorizado de reglas y límites casi automático y autodirigido.

o Estar automotivado es un signo de respeto a sí mismo.

Conozca a la familia Moreno

Gustavo y Cristina Moreno estaban preocupados porque sus cuatro hijos — Teresa, de dieciocho meses; Daniel, de cinco años; Laura, de siete, y Ángela, de doce — parecían incapaces de hacer algo sin que los regañaran o amenazaran. Los niños mayores nunca hacían sus deberes sin una batalla previa, sus cuartos eran un desastre y no realizaban sus labores domésticas a no ser que un adulto estuviera vigilándolos todo el tiempo. La vida en el hogar de los Moreno no era placentera. Gustavo y Cristina ambicionaban que sus hijos se automotivaran, pero sabían que la permanente amenaza de zurras para que cumplieran lo que ellos, como padres, consideraban como metas importantes, no estaba convenciendo a los niños de que esas metas eran prioridades en sus vidas.

Herramientas de enseñanza

Establezca y haga cumplir las reglas familiares. Para que los niños aprendan a motivarse a sí mismos, necesitan un conjunto de reglas que los guíe en su vida diaria. Los niños que viven en un mundo sin reglas claras tienden a ser impulsivos y ansiosos, por la falta de una guía. Establezca reglas para sus hijos, a fin de que entiendan lo que se espera de ellos. Al exponer las reglas a sus hijos, exprese lo que usted quiere que ellos *hagan* y no lo que quiere que *no hagan*. Cuando las reglas se expresan en forma positiva, los niños adquieren un modelo de comportamiento que actúa como un principio que los guía. Además, si las reglas se establecen como reglas de la casa, están vigentes sea quien sea el encargado de hacerlas cumplir en un momento dado: los padres, los abuelos, las niñeras o los amigos.

Momento educativo

— Pero ¿por qué tengo que hacer eso? — se lamentó Daniel.

— Porque ésa es la regla — replicó su madre pacientemente —. Recuerda que nos reunimos contigo y tus hermanas el domingo pasado por la tarde e hicimos una lista de las reglas que necesitamos seguir para que nuestra vida familiar funcione sin complicaciones.

— Pero yo no quiero tener que guardar siempre mis juguetes cuando acabe de jugar con ellos. Podría querer volver a utilizarlos muy pronto — se quejó él.

— Comprendo cómo te sientes, pero la regla dice que tienes que guardarlos cuando acabes de jugar con ellos — repuso Cristina —, y cuando los hayas guardado podrás ir a hacer lo que quieras.

— ¡No lo voy a hacer y tú no puedes obligarme! — gritó él.

Cristina estaba a punto de perder la serenidad,

pero decidió que debía adoptar una posición y mantenerse en ella.

— Déjame decirte cuál es el trato. Cuando hayas recogido tus juguetes y los hayas guardado, puedes ir a hacer otras cosas. Estoy dispuesta a esperar hasta que hagas lo que dice la regla — y se sentó pacientemente a su lado.

Él gritó, luchó y amenazó, pero ella se mantuvo firme.

— Podrás irte cuando hayas cumplido la regla — siguió insistiendo, con la escasa calma que le quedaba. Pasados unos minutos, su hijo por fin se rindió y airadamente guardó los juguetes.

Cristina decidió que, por el momento, pasaría por alto todo el escándalo que él había armado. Lo importante era establecer las reglas y hacerlas cumplir, incluso si ello no era muy popular. Con el tiempo, ésta sería una lección que tendría por resultado que sus hijos estuvieran motivados para lograr sus metas, en vez de depender de los regaños maternos.

Ayude a los niños a establecer y cumplir metas razonables. Las personas que están automotivadas establecen metas a corto y largo plazo y entienden qué pasos hay que dar para lograr lo que se han propuesto. Para ayudar a sus hijos en el logro de sus objetivos, es importante asignarles tareas que ellos deban cumplir en el hogar y ayudarlos a dar los pasos requeridos para realizarlas. A los niños pequeños (entre los dos y los seis años), se les pueden asignar tareas sencillas, tales como poner las servilletas en la mesa, guardar los juguetes y echar la ropa sucia en la canasta. A medida que los niños crecen (entre los seis y los diez años), se les pueden asignar obligaciones más complejas y que les exigen más tiempo, tales como ordenar y limpiar su cuarto, ayudar con los platos o recoger las hojas secas.

"Yo creo que estoy automotivada porque deseo un buen futuro; por eso ahora hago cosas sin que me lo pidan, como hacer mis deberes y sacar la basura".

— Jenny

Momento educativo

— He aquí una lista de las labores que cada uno de ustedes debe realizar diariamente — les anunció Cristina a sus hijos. Después que la mirada de asombro se borró de sus ojos, empezaron los lamentos.

— Nunca podré hacer todo esto — gimió Laura.

— ¡No es justo! Ahora nosotros tenemos que hacer todo en esta casa — se quejó Ángela.

— Tal vez debamos planear cómo pueden realizar todas estas labores de manera que les sobre tiempo para hacer los deberes escolares y para jugar — sugirió Cristina —. Traeré papel y lápiz y confeccionaremos un horario. Creo que podemos hacer todo y tener mucho tiempo de sobra.

Mantener una actitud positiva era uno de los secretos de esta familia para llevar a cabo un plan. No sólo descubrieron que tenían tiempo para hacer todo lo que querían, sino que además dispusieron de tiempo "libre" fuera de lo programado para emplearlo según sus deseos. Disponían de más tiempo en el día porque no lo estaban desperdiciando quejándose de aburrimiento, o irritándose y fastidiándose los unos a los otros con burlas e insultos.

Recompense el esfuerzo para hacer el trabajo en vez de los resultados. Cuando se dan recompensas materiales a los niños por lo que hacen, aprenden a esperar siempre ese tipo de gratificaciones. En vez de recompensar *el resultado* de un trabajo bien hecho, es más importante recompensar *el proceso* que se requirió para lograr el resultado. Para ayudar a los niños a sentirse automotivados, elógielos por el trabajo que están haciendo y no por la "excelente obra" que realizaron.

Advertencia: evite dar recompensas materiales.

Los niños que reciben juguetes, comida o dinero como premio por lo que realizan, aprenden a esperar que se les recompense en esa forma por sus logros. Eso los hace dependientes de recompensas extrínsecas y no de la satisfacción intrínseca de haber hecho lo que tenían que hacer. Para enseñar a sus hijos a motivarse a sí mismos, elogie las acciones que ellos realizan para lograr los objetivos que se han fijado, y evite recompensar los logros en sí mismos.

Momento educativo

Daniel estaba trabajando febrilmente en un dibujo, y Cristina no quería perturbarlo mientras estuviera demostrando tanta laboriosidad. Finalmente él terminó, y presentó a su madre su trabajo para su aprobación. Cristina tuvo la tentación de decirle lo hermoso que era el dibujo, pero se contuvo.

— ¡Realmente trabajaste mucho en él! — exclamó —. ¡Debes estar verdaderamente orgulloso del esfuerzo que pusiste en él!

Ella observó cómo su hijo no cabía en sí del orgullo.

Más tarde, cuando Laura y Ángela terminaron sus deberes y se los presentaron a Cristina, nuevamente estuvo tentada de elogiar lo que habían logrado.

— Hay que decir que trabajaron fuertemente hoy. Deben sentirse bien por haber sido capaces de haber hecho tanto y disponer, además, de tiempo para jugar antes de la cena — les dijo, transmitiendo el importante mensaje de que el esfuerzo era lo que se estaba recompensando. No todo el mundo puede tener éxito todo el tiempo, pero el esfuerzo es algo que todo el mundo tiene que hacer para lograr *cualquier* meta.

Mantenga un mundo coherente para los niños. Los niños que viven en un mundo coherente y previsible gastan menos tiempo tratando de imaginar qué sucederá después, y viven en un ambiente más seguro, en el cual pueden ser creativos y alcanzar metas y sueños personales. Para que sus hijos sean capaces de motivarse a sí mismos, es importante, por ejemplo, que usted mantenga un hogar ordenado. Cumpla en la medida de lo posible los horarios para comer y dormir, y lleve a cabo los planes y promesas, metas éstas que también le exigen a los padres autodisciplina.

Advertencia: evite los regaños para lograr que los niños cumplan sus objetivos.

Los niños no aprenderán a motivarse a sí mismos si saben que uno de sus padres o alguna otra persona los regañará hasta que hagan lo que se requiere. Las reprimendas se convierten en una red de seguridad que impide a los niños asumir la responsabilidad que requieren para lograr sus objetivos. En vez de regañarlos, ayúdeles a aprender a motivarse a sí mismos confeccionando listas de objetivos y de las consecuencias que acompañan tanto el alcanzarlos como el no alcanzarlos. Al saber que sus actos tendrán consecuencias, los niños aprenden a asumir la responsabilidad de lograr sus metas propias y de hacer que sus sueños se vuelvan realidad.

Momento educativo

Gustavo y Cristina comprendieron que su propio comportamiento era importante para ayudar a los niños a aprender a automotivarse. Empezaron por fijar una hora especial para la cena por lo menos tres veces a la semana, pues comprendieron que tendrían que ser lo suficientemente flexibles como para tener en cuenta las actividades deportivas de sus hijos.

— Dijiste que podríamos ir al centro comercial el sábado — se quejó Ángela cuando su madre le dijo que tendrían que quedarse en casa y realizar labores domésticas.

— Sí, sí, dije que podías ir con tus amigas a pasar dos horas en el centro comercial el sábado por la tarde, pero también sabías que tenías que realizar antes algunas labores domésticas — le recordó Cristina.

— ¡Pero tú lo *prometiste*! — gimió Ángela —. ¡Tú *nunca* cumples tus promesas!

— Recuerda las reglas — respondió Cristina pacientemente —. Cuando hayas realizado tus labores, podrás hacer lo que quieras. Así hacemos las cosas en esta casa ahora.

— Una promesa es una promesa — insistió Ángela.

— Pero recuerda la regla — le dijo Cristina —. Tienes que hacer las cosas que están en tu lista antes de disponer de tiempo libre.

— ¡Está bien! ¡Está bien! — gritó Ángela y se dirigió, enfurecida, a su cuarto. Cristina lamentó que Ángela estuviera tan furiosa, pero se sentía orgullosa de sí misma por haberse atenido a las reglas. Sabía que había sido coherente para ayudar a sus hijos a aprender a seguir el camino hacia la realización de sus metas.

Enseñe a los niños a buscarles solución a los problemas. Buscarles solución a los problemas es una manera de que los niños aprendan a pensar en un problema y a encontrar opciones para resolverlo. Para enseñar a sus hijos a buscarles solución a los problemas, ayúdeles a identificar la naturaleza del problema. Para encontrar posibles soluciones, emplee la técnica de grupo para resolver problemas, que consiste en que todos los miembros de la familia aporten espontáneamente sus ideas en la búsqueda de la solución; y al examinar las consecuencias de cada posible solución, ayúdeles a elegir la mejor.

Advertencia: evite aplazar sus obligaciones.

Los niños que ven que los adultos hacen todo menos
asumir sus responsabilidades, aprenden a aplazar
ellos también sus deberes. Para ayudar a sus hijos a no
caer en la trampa de los aplazamientos, anímese a sí
mismo y a sus hijos a aprovechar el momento. Pensar
en lo que "uno tiene que hacer" sólo hace que las
tareas parezcan más desafiantes e inquietantes.

Momento educativo

— Tengo todas estas tareas y no creo que vaya a
alcanzar a terminarlas para mañana — se quejó
Ángela al mismo tiempo que tiraba su bolso al
suelo —. ¡Nuestra profesora es malvada! ¡Nos dio
todo este trabajo para mañana!

— Eso es un problema — repuso Cristina con
empatía—. ¿Qué crees que podrías hacer para alcanzar a hacerlo todo?

— ¡No sé! — contestó Ángela airadamente —.
Nunca lo terminaré.

— ¿Qué crees que te ayudaría para poder hacerlo? — insistió Cristina.

Ángela se sentó durante unos minutos antes de
contestar.

— Creo que debo decidir qué es lo más importante y hacerlo primero.

— Ésa es una buena idea. ¿Cómo debes empezar?

— Pues creo que debo revisar todo lo que tengo
que hacer. Veamos: tengo unos problemas de matemáticas y debo buscar en el periódico algunos sucesos de actualidad para la clase de sociales. Luego

tengo que escribir diez oraciones utilizando las palabras de la clase de ortografía.

— ¿Qué quieres hacer primero? — preguntó Cristina.

— Tal vez salga primero de las matemáticas. Luego puedo escribir las oraciones. Si no alcanzo a terminar todo antes de la cena, puedo mirar el periódico después de cenar y buscar los sucesos de actualidad.

— Ése parece un buen plan. Mantendré a Daniel y a Teresa lejos de tu cuarto para que no te molesten mientras trabajas — dijo Cristina.

Como se sentía mejor por haber tomado el control de su programa de trabajo, Ángela pudo dirigir su mente hacia los deberes por hacer y, gracias a que tenía un plan, logró terminarlos antes de la cena. Tanto Cristina como Gustavo felicitaron a Ángela a la hora de la cena por el gran esfuerzo que había realizado al idear un plan y lograr cumplirlo.

"Realice cada acto de su vida como si fuera el último".
— MARCO AURELIO

16

RESPONSABILIDAD

*"Creo que cada derecho implica una responsabilidad;
cada oportunidad, una obligación; cada posesión, un deber".*
— JOHN D. ROCKEFELLER, JR.

> **responsable.** *ad.* Consciente de sus responsabilidades y
> obligaciones y dispuesto a obrar de acuerdo con ellas.
> Dícese de la persona que pone cuidado y atención en lo que
> hace o decide.
> **responsabilidad.** *f.* Sentido del deber.

o "Tú sabes que terminaré mis deberes, porque ¡siempre lo hago!"
o "Me encargaré de cuidar a mi hermano".
o "Confía en mí, mamá. Llegaré a casa antes que oscurezca".
o "¡Por favor, mamá! ¡Lo deseo tanto! Te prometo que cuidaré mi abrigo nuevo".

"ASUME LA RESPONSABILIDAD de tus palabras y actos",
dicen los padres que creen que, si así lo hacen, tanto ellos

como los demás podrán confiar en sus hijos. Pero, ¿cuáles son los pasos para enseñar esta lección? En primer lugar, hay que enseñar a los niños a dejar de pensar sólo en sí mismos y a comprender el bien mayor que puede desprenderse de asumir una conducta responsable. Por lo tanto, los niños deben aprender a sentir empatía, a fin de ser capaces de ponerse en el lugar de otra persona, y poder apreciar sus sentimientos y ser sensible a sus necesidades. En el seno de la familia es esencial que los niños acepten su responsabilidad para ayudarla a sobrevivir, comportándose bien y siendo útiles. En un contexto social más amplio, si cada uno de nosotros acepta la responsabilidad de lo que hace, la sociedad como un todo funciona bien. Enseñar a los niños a ser responsables es esencial, por lo tanto, para la familia, para la sociedad y para el respeto que cada uno se debe a sí mismo.

¿A QUÉ NOS REFERIMOS CUANDO HABLAMOS DE RESPONSABILIDAD?

o Aprender a ser responsable significa aprender a comportarse de manera que puedan confiar en uno.
o Asumir responsabilidad significa contribuir al bienestar de la familia.
o Ser responsable significa ser capaz de sentir lo que otros sienten y entender las necesidades de los demás.
o La responsabilidad se refiere a una forma de responder que implica el claro conocimiento de que las consecuencias de cumplir o no las obligaciones, recaen sobre uno mismo.
o Asumir la responsabilidad de nuestros actos significa

pensar en sus resultados y en sus efectos, antes de hacer o decir alguna cosa.

○ La gente responsable es capaz de aplazar la gratificación cuando así se requiere.

CONOZCA A LA FAMILIA SÁENZ

Carlos y Clara Sáenz querían que sus hijos se comportaran de manera responsable, particularmente cuando estuvieran en público. Pablo, de ocho años, y Camilo, de cinco, sin embargo, tenían sus propias ideas al respecto. Parecían totalmente absortos en sí mismos; lo que ellos querían era más importante que las necesidades de los demás. Carlos y Clara querían enseñar a sus hijos a ser responsables, porque estaban cansados de las exigencias de esos dos tiranos, de la necesidad constante de andar tras ellos, y de lo desagradable de tener que regañarlos por no asumir sus responsabilidades. A este paso, los niños nunca serían capaces de permanecer en un trabajo, ni qué decir de tener éxito en la escuela, si no empezaban a asumir la responsabilidad de lo que hacían o decían.

HERRAMIENTAS DE ENSEÑANZA

Dé ejemplo de responsabilidad. Debido a que la responsabilidad se refiere a una *forma* de enfocar las tareas que se han de realizar, es un concepto abstracto que puede ser difícil de aprender para los niños pequeños. Por lo tanto, es importante dar a los niños, tan a menudo como sea posible, ejemplos de comportamiento responsable. Cuando usted ejemplarice la responsabilidad ante sus hijos, describa lo que está haciendo y explique la relación entre los beneficios del comportamiento responsable y el bienestar de la familia.

Momento educativo

— ¿Por qué no podemos ir a la videotienda y alquilar algunos juegos nuevos? — preguntó Pablo.

Su hermano lo respaldó:

— Sí, ¿por qué no?

— Porque tengo que hacer unas cosas en la cocina para que podamos cenar cuando tu padre llegue a casa — respondió Clara.

— ¡Papá puede esperar para cenar! — replicó Pablo —. ¡Estoy aburrido con los juegos que tenemos! ¡Quiero conseguir ahora mismo algo nuevo!

— No estaría bien hacerlo esperar — explicó su madre —. Él habrá tenido un día pesado y necesitamos que la cena esté lista cuando llegue. Tu padre tiene sus responsabilidades y yo tengo las mías. Esta noche mi responsabilidad es tener lista la cena a tiempo; y hoy tu padre tuvo la responsabilidad de ganar dinero para nosotros. Todos tenemos que asumir nuestras responsabilidades o la familia sufrirá.

— ¡Pero necesitamos un juego nuevo! — gimió Camilo, dejando de lado el resto de las preocupaciones de la familia.

Clara comprendió que el concepto que estaba tratando de transmitir no se entendía.

— Imagina que tú eres tu papá, y que acabas de llegar de la oficina después de trabajar ocho horas

— explicó ella —. Estás soñando con una comida caliente y un relato de todos los sucesos del día. ¿Cómo te sentirías al llegar a casa y no encontrar a nadie?

Camilo se quedó callado por un momento. Luego protestó:

— Pero yo quiero conseguir un videojuego nuevo ahora; no quiero comer.

— ¿Qué tal si hacemos un trato? — sugirió su madre —. Cuando hayamos cenado y lavado los platos entre todos, querrá decir que ya habremos cumplido con nuestras responsabilidades. Tendrás que encargarte de hacer las cosas que se necesite que hagas desde las cuatro de la tarde hasta las siete de la noche. Luego podremos ir a la videotienda, si quieres.

— Está bien, mamá — repuso Pablo, y su hermano también se mostró de acuerdo.

Clara estaba contenta de que Pablo y Camilo supieran al menos que asumir responsabilidades requiere a menudo algún sacrificio. Supuso que ellos acabarían comprendiendo el significado más amplio del deber y la responsabilidad. Pero, por ahora, tenían que sentir la recompensa por asumir sus responsabilidades y darse cuenta de lo importantes que eran éstas para el bienestar de la familia.

Haga listas para recordarles a sus hijos sus responsabilidades. Para que los niños se acuerden de sus labores domésticas, a menudo los padres tienen que recordárselas. Sin embargo, esos frecuentes recordatorios hacen que los niños dependan de sus padres para su motivación y para asegurarse de que cumplan con sus obligaciones. Para enseñar a los niños a asumir la responsabilidad de sus tareas, déles una lista de las labores que deben realizar, y haga que el acceso a los privilegios dependa del cumplimiento de sus deberes.

ADVERTENCIA: NO UTILICE RECOMPENSAS TANGIBLES.

Los niños que reciben recompensas tangibles por hacer las cosas de las cuales son responsables, aprenden a esperar un obsequio material cada vez que siguen instrucciones o actúan responsablemente. Para evitar esta trampa, haga que los privilegios dependan de que realicen las cosas de las cuales son responsables. Al aplicar la "regla de la abuela" (cuando hayas hecho lo que tienes que hacer, podrás hacer lo que quieras hacer), los niños aprenden que deben cumplir con sus responsabilidades antes de poder jugar.

Momento educativo

— ¿Cuántas veces tengo que decirles que hagan sus labores? — se oyó decir a Clara, un sábado por la mañana, mientras Pablo y Camilo absorbían ante el televisor su dosis semanal de dibujos animados.

— Las haremos más tarde, mamá — respondió Pablo. Camilo estaba en trance, mirando sin parpadear la televisión.

— ¡Más tarde! ¡Más tarde! Eso es lo único que escucho. Pues bien: más tarde no sirve. ¡Las harán ya mismo! — gritó Clara y apagó el televisor.

Al sentirse peor que antes de su acceso de furia, Clara comprendió que gritar a los niños sólo había creado un conflicto, sin enseñarles nada sobre responsabilidad. Ella y Carlos concibieron un plan para resolver el problema, del cual estaban seguros que enseñaría responsabilidad, aunque ambos sabían que requeriría mucha autodisciplina por parte de ellos. Esa tarde explicaron el plan a sus hijos.

— Hemos hecho listas de las labores que deben realizar diariamente y de las que hay que hacer durante el fin de semana — dijo Clara —. Cuando terminen una labor, simplemente táchenla de la lista, y cuando acaben con toda la lista, pueden hacer lo que quieran.

— ¿Quieres decir que no podemos mirar televisión hasta que hagamos las labores? — preguntó Pablo, incrédulo.

— ¡Ya entendiste! — respondió Carlos —. Pablo, la lista no es muy larga. Tus labores se reducen a hacer tu cama todos los días, poner tu ropa sucia en la canasta, colgar tu toalla después de ducharte y asegurarte de que el perro tenga comida en su plato. No es mucho. Sé que lo puedes manejar.

— Sí, pero... — comenzó a responder Camilo —. ¿Cómo voy a arreglármelas para recordar hacerlo todo? No puedo acordarme de todo eso.

— Por eso hicimos las listas — repuso Clara —. Así podrás cotejarlas para ver qué te falta hacer. Y no te regañaremos, ni te lo recordaremos. Es tu responsabilidad.

Cada día, Carlos y Clara revisaban las listas y la calidad del trabajo realizado. Los Sáenz no eran muy exigentes en su control de calidad, pues tenían en cuenta la edad y el grado de habilidad de los niños. Pero, de vez en cuando, el trabajo no estaba a la altura; entonces, el responsable tenía que volver a hacerlo. Eso ocurrió un día, después que Camilo hizo la cama.

— Estiraste muy bien la sábana — le dijo Clara a Camilo —. Ahora bien: cuando pongas la almohada en su lugar y estires la cobija para que quede pareja, tu cama estará realmente bien hecha.

Al elogiar lo que había quedado bien, Clara no pasó por alto el esfuerzo de su hijo, y al señalar cómo podría mejorar el trabajo, no dejó ninguna duda acerca de lo que había que hacer. La combinación de las listas de labores, la retroalimentación por el desempeño y las maneras específicas de corregir los problemas redujeron los regaños paternos y mejoraron sustancialmente el desempeño en el hogar de los Sáenz.

Elogie el comportamiento responsable. Otra manera de que los niños aprendan a identificar el comportamiento responsable es elogiarlo cuando se presenta el caso. Siempre que sus hijos demuestren responsabilidad, describa cómo se están comportando y dígales que aprecia mucho lo que están haciendo.

Momento educativo

Cuando Carlos vio llegar a Camilo en su bicicleta, abrir el garaje y estacionarla en el lugar adecuado, quedó sorprendido y complacido.

— Camilo — dijo—, ¡guardaste tu bicicleta! Eso

fue muy responsable de tu parte. Eso significa que no se mojará si llueve, que no la arrollará un automóvil, ni se la robarán. Eso quiere decir que no tendremos que reemplazarla, y eso es bueno para nuestra familia.

Camilo parecía intrigado, pero apreció la atención de su padre.

Más tarde, ese día, Carlos comentó el hecho de que Pablo se hubiera acordado de apagar la luz de la cocina.

— Pablo, fue muy responsable de tu parte acordarte de apagar la luz de la cocina. Eso ahorra electricidad...

Antes de que su padre terminara de hablar, Pablo dijo:

— Sí, lo sé. Si no desperdiciamos la electricidad, no usamos tanto combustible y eso protege el medio ambiente. Aprendimos eso en la clase de ciencias.

— Bien, parece que sabes mucho sobre protección del medio ambiente. Si todos asumimos nuestra responsabilidad hacia el medio ambiente, como lo haces tú, este viejo planeta vivirá por mucho tiempo — dijo Carlos y le dio un abrazo a su hijo.

Más tarde, esa semana, cuando Clara estaba revisando la casa antes de salir a llevar a los niños a la escuela, pasó por el cuarto de Pablo y lo vio haciendo la cama.

— Pablo, ¡qué bien que estés tendiendo tu cama antes de irnos! — le dijo —. Eso es muy responsable de tu parte.

— Quiero hacer todas las labores de mi lista para

poder jugar cuando regrese a casa — respondió de manera realista.

— Por el rabillo del ojo, Clara alcanzó a ver que Camilo volvía corriendo a su cuarto y, cuando fue a inspeccionar, se dio cuenta de que también él estaba haciendo la cama.

— Oye, Camilo — dijo ella — tú también estás haciendo tu cama.

— Sí, yo soy responsable — respondió —. Hago lo que debo hacer.

Reprimiendo su deseo de reírse ante la sobrestimación del niño de su sentido de la responsabilidad, simplemente le agradeció que hiciera sus labores. Ella sabía que sus elogios por haber hecho la cama mantendrían ese comportamiento en juego por lo menos unos días más. Acordarse de elogiar el comportamiento de sus hijos no siempre era fácil para Carlos y Clara, pero podían ver que sus esfuerzos producían frutos, pues veían que Camilo y Pablo seguían asumiendo la responsabilidad de sus labores.

Asegúrese de que hagan los deberes escolares. A menudo los niños eluden la responsabilidad de hacer sus deberes escolares diciendo que no les han asignado ninguno. Si sus hijos no están asumiendo la responsabilidad de hacer sus deberes, asegúrese de enterarse de cuáles les han sido asignados, y establezca la regla de que los hagan antes de gozar de sus privilegios vespertinos.

ADVERTENCIA: NO SALVE A LOS NIÑOS DE LAS CONSECUENCIAS DE SU COMPORTAMIENTO.

Los niños que están aprendiendo acerca de la responsabilidad necesitan entender que pueden sufrir alguna consecuencia si no asumen un comportamiento responsable. Si los padres salvan a los hijos de las consecuencias de su comportamiento, éstos no aprenderán que las consecuencias positivas de asumir la responsabilidad de lo que uno hace o dice son superiores a las consecuencias negativas que se derivan de eludirla.

Momento educativo

— ¿Tienes deberes que hacer, Pablo? — preguntaba Clara todos los días cuando él regresaba de la escuela, y Pablo siempre respondía que no. Pero cuando llegaban los informes escolares, su profesor generalmente anotaba que el niño no siempre hacía los deberes. Entonces Carlos y Clara decidieron iniciar un programa para combatir este problema.

— Pablo, así funcionará el nuevo programa — explicó Carlos —. Todos los días anotarás en esta libreta los deberes escolares que te asignen. Haz que tu profesor firme aquí para asegurarte de que todo está en orden, y trae la libreta a casa. Tienes que terminar los deberes antes de jugar o hacer cualquier otra cosa.

— ¿Qué ocurrirá si se me olvida y salgo a jugar primero? — preguntó Pablo, preocupado.

— Pues pasarás toda la tarde sentado a la mesa del comedor estudiando — respondió Carlos —. Tú eliges. ¿Qué prefieres: dedicar treinta minutos a hacer tus deberes y luego salir a jugar toda la tarde, o jugar media hora y luego tener que pasar el resto del día estudiando?

Pablo podía ver fácilmente cuál elección era más favorable a su propósito de jugar baloncesto el máximo tiempo posible. Optó por seguir la regla, y la recompensa fue recibir la consecuencia menos desagradable.

"Nada de lo que hacemos queda aislado de nuestra vida. Si es bueno, servirá un buen propósito en el futuro. Si es malo, podrá perseguirnos y afectar nuestros esfuerzos en forma inimaginable".
— ELEANOR ROOSEVELT

17

HONESTIDAD

*"Vivir la verdad en tu corazón sin compromiso
le trae bondad al mundo. Los intentos de bondad
que comprometen tu corazón sólo causan tristeza".*

— UN MONJE DEL SIGLO XVIII

honesto. *ad.* Incapaz de engañar, defraudar o apropiarse de
lo ajeno. Cumplidor escrupuloso de su deber o buen adminis-
trador de lo que tiene a su cargo. Honrado, decente, recto.

o "No puedo permitir que me ayudes a hacer mis deberes.
No sería honesto".
o "Mamá, ¿esa señora no te dio más cambio de lo debido?
No deberíamos quedarnos con él".
o "Rompí la lámpara de la sala con el balón de fútbol y tú
me habías dicho que no jugara en la sala. Lo siento
mucho".

"LA HONESTIDAD ES LA MEJOR POLÍTICA" es un viejo adagio
que se ve amenazado tanto por lo que los niños ven en la
televisión como por lo que leen en los periódicos. En el

pasado, se consideraba que esta regla no la desobedecían sino las personas más incorregibles, mientras que actualmente los ejemplos de deshonestidad tienen proporciones casi epidémicas. Hacer trampa en los exámenes, mentir a los reporteros y robar dinero del Estado son algunos ejemplos de falta de ética que no les enseñarán a los niños las bondades morales de la honestidad.

¿Quiénes son los mejores profesores de honestidad? La familia y los compañeros son factores decisivos en esta enseñanza que ellos dan cada vez que apoyan una decisión, o dan ejemplo al llevar una vida honesta y compasiva. Para aprender a ser honestos, los niños deben preocuparse por no desilusionar a sus padres, tener en cuenta lo que los demás piensan de ellos y cuidar su imagen personal. Su voz interior debe decirles subconscientemente: "¡Quiero que me conozcan como una persona honesta!" Un maestro muy sabio afirmó alguna vez en forma irónica: "Si nunca digo una mentira, no tengo que acordarme de nada de lo que he dicho".

"Cuando usted dice una mentira, ésta no desaparece nunca. Aprenda a decir la verdad; es la única forma de contrarrestar la mentira".

— AUDREY

¿A QUÉ NOS REFERIMOS CUANDO HABLAMOS DE HONESTIDAD?

o La honestidad significa tener la capacidad de ser confiables para los demás.

o Esmerarse lo suficiente como para querer hacer lo debido es una de las cualidades de las personas honestas.

- Una persona honesta tiene en cuenta los derechos de los demás y los respeta.
- Ser respetable, tener una buena reputación y sustentar principios honorables son hechos fundamentales para las personas honestas.
- Las personas honestas son veraces cuando comparten sus pensamientos y sus sentimientos.

Conozca a la familia Ramírez

Olga y Rafael Ramírez querían educar a sus hijos, Lucy, de tres años, y Felipe, de ocho, para que fueran ciudadanos honestos y rectos. Pero, frecuentemente, los niños no eran tan honestos como sus padres lo deseaban. Felipe mentía respecto a los deberes escolares, y Lucy persistía en usar las cosas de su hermano sin pedir permiso. Después de una mala semana en que los niños se habían mostrado particularmente deshonestos, los Ramírez decidieron que era un buen momento para enseñarles a sus hijos las bondades de preocuparse tanto por los demás (y por uno mismo) como para actuar honestamente en las relaciones con ellos. Cuando los niños mentían, Olga y Rafael sabían que sus hijos se estaban haciendo daño a sí mismos, al mismo tiempo que herían a sus víctimas con su falta de honestidad. El objetivo de los esposos Ramírez era encontrar la manera de dar a sus hijos esta lección para poder confiar en que lo que ellos hicieran y dijeran fuera verdadero.

Herramientas de enseñanza

Dé ejemplo de honestidad. Mientras los vientos del bien y del mal sacuden la moral de los niños de un lado a otro, es difícil esperar que sean siempre honestos. Evalúe su propio comportamiento y asegúrese de dar ejemplo constante de honestidad, incluso cuando se sienta tentado a tomar un camino más fácil distinto del de la verdad. Cuando conduzca su automóvil, respete los límites de velocidad; cuando conteste al teléfono, dé respuestas honestas a quienes llamen a su número por equivocación; cuando le den el cambio equivocado, dígaselo al cajero. Son ejemplos de la vida diaria que dejan en sus hijos una impresión duradera.

Momento educativo

Como le ocurre a menudo a la gente ocupada, a los Ramírez se les estaba haciendo tarde para irse a una reunión. Rafael estaba conduciendo un poco por encima de la velocidad permitida cuando su hija le llamó la atención: "¡Papá, vas demasiado rápido!" Inmediatamente intervino Felipe:

— No te preocupes, papá, yo vigilaré si vienen automóviles de la policía.

— No, Felipe. Lucy tiene razón. No debería estar conduciendo a esta velocidad — admitió su padre —. No sólo es contra la ley conducir por encima del límite de velocidad, sino que además es peligroso. El límite de velocidad es para evitar que la gente conduzca demasiado rápido y ponga en peligro a todos los demás. Iré más despacio. La próxima vez debemos salir más temprano para que nos sobre tiempo y no tener afanes.

Rafael quería ser un modelo de honestidad para sus hijos, lo cual serviría dos propósitos: obligarlo a evaluarse a sí mismo *y* cambiar algunos de sus comportamientos.

Elogie la honestidad de sus hijos. Antes de la edad escolar, los niños en general son honestos porque no entienden la falta de honestidad. Elogiar verbalmente la honestidad de los niños desde muy pequeños puede apoyarla y fomentarla. Ante cualquier manifestación de honestidad de sus hijos, elógielos, describa lo que están haciendo y explíqueles cuánto significa su honestidad para quienes los rodean.

Momento educativo

Olga siempre le preguntaba a Felipe sobre sus deberes cuando él regresaba de la escuela. Sabía que él prefería jugar con sus amigos a hacer sus deberes, y si no le preguntaba, él no le decía qué tenía que hacer.

Por eso se sorprendió tanto cuando, al volver a casa, Felipe dijo:

— Tengo que terminar mi trabajo de matemáticas y después estudiar para el dictado de ortografía. Terminaré la tarea de matemáticas mientras me como la merienda. ¿Podemos estudiar ortografía después de la cena, para poder jugar desde ahora hasta por la noche?

— Felipe, fue muy honesto de tu parte contarme lo de los deberes — dijo su mamá, con una gran sonrisa y un gesto de cariño —. Por haber sido honesto conmigo, estaré encantada de ayudarte con la ortografía después de la cena.

Olga notó que Felipe estaba contento de que ella

estuviera complacida, lo cual demostraba que su decisión los había beneficiado a ambos.

Enseñe a sus hijos a ser honestos consigo mismos. Algunas veces los niños tienen dificultad para asumir la responsabilidad de sus actos. Para ayudarlos a ser honestos acerca de quién es el responsable de su comportamiento, es importante ayudarlos a entender las relaciones de causa y efecto, y enseñarles a comportarse de manera distinta cuando cometan errores. Esta enseñanza incluye ayudarles a sentir algo de culpa, un sentimiento que puede surgir cuando los niños son capaces de reconocer lo que los demás sienten.

Momento educativo

Cuando Olga entró a la cocina, vio a Lucy frente a un charco de jugo derramado en el piso.

— ¿Que ocurrió? — preguntó.

— ¡Felipe me hizo derramar el jugo! — exclamó Lucy.

— ¡No es cierto! — chilló Felipe —. Yo estaba aquí sentado comiéndome mi desayuno.

— ¡Tú me miraste! ¡Tú me hiciste derramarlo! ¡Fuiste tú! ¡Tú tienes que limpiar el reguero! — le gritó Lucy.

— Lucy, estoy segura de que Felipe se siente mal porque lo estás acusando de algo que no hizo — explicó su madre pacientemente —. Él estaba sentado a la mesa. No pudo hacerte derramar el jugo. No es honesto culparlo de un error que cometiste tú. Te ayudaré a limpiar.

Es útil hacer que los niños afronten el hecho de que decir "Yo lo hice" les trae más apoyo y comprensión por parte de los demás que las acusaciones deshonestas. Ser honestos consigo mismos y enfrentar las consecuencias de serlo son experiencias que los niños deben tener diariamente para comprender cómo asimilar los tragos amargos que la vida nos ofrece.

"Ser honesto es una de las cualidades más valiosas, porque si las personas no pueden confiar en uno, uno no les agradará".
— JOE

Enseñe a sus hijos métodos para solucionar problemas. Si los niños tienen dificultad para ser honestos cuando enfrentan un desafío, parte de la solución consiste en enseñarles a resolver problemas. Cuando los niños puedan solucionar los problemas, tenderán a no mentir para aparecer mejor ante los ojos de aquéllos a quienes quieren impresionar, para salirse de una situación indeseable o para evitar el castigo. Al ser capaces de resolver problemas, tendrán mayor control sobre sus opciones y, por lo tanto, se sentirán más a gusto con la decisión que tomen. Para enseñar la virtud de la honestidad, en primer lugar ayude a su hijo a entender la naturaleza del problema. Después, aliéntelo a buscar posibles soluciones y a evaluar los resultados correspondientes a cada solución, antes de elegir la más apropiada.

ADVERTENCIA: NO USE CASTIGOS CORPORALES CUANDO LOS NIÑOS SEAN DESHONESTOS.

Cuando se castiga severamente a los niños por cualquier razón, ellos le pierden el respeto a quien los castiga y sólo aprenden a evitar a esa persona, en vez de evitar el comportamiento que causó el castigo.

Momento educativo

Después de ayudar a Lucy a limpiar el jugo que había derramado, su madre trató de ayudarla, en forma calmada y cariñosa, a asumir la responsabilidad de ese suceso. Decidió plantear el problema y buscar otras maneras en las cuales se hubiera podido manejar.

— Lucy, cuando derramas algo, ¿qué crees que puedes hacer ante ese problema?

— No sé. ¡Habría podido ir a buscarte! — repuso Lucy vivamente.

— Ésa es una posibilidad interesante. ¿Qué resultado tendría?

— Tal vez te hubieras puesto furiosa — dijo Lucy, con el ceño fruncido.

— Entonces, si hubieras temido que eso sucediera, ¿qué otra cosa habrías podido hacer?

— Hubiera podido conseguir toallas de papel y limpiar yo misma el reguero — sonrió Lucy orgullosamente.

— Si hubieras hecho eso, ¿qué crees que habría ocurrido?

— Creo que a ti te habría gustado que yo limpiara mi reguero — exclamó Lucy, muy excitada.

— ¿Es ésa la solución que más te gusta? Debes ensayarla para saber si te sirve — concluyó la madre.

Al enseñarle a solucionar problemas, Olga ayudó a Lucy a volverse más autosuficiente y a asumir la responsabilidad de su comportamiento. Incluso a su tierna edad, ella era capaz de distinguir entre el bien y el mal si se le daba la oportunidad de elegir en un ambiente amable, no de censura.

Busque la honestidad en los demás. Cuando los niños reciben ejemplo de honestidad de las personas que ellos respetan, se sienten motivados a ser honestos también ellos. Señale los actos honestos cuando se presente la ocasión, y describa cómo se siente la persona honesta, para que los niños puedan caer en la cuenta de que la honestidad es la mejor política, porque trae recompensas positivas. Es más: cuando en las noticias, por ejemplo, encuentre ejemplos de personas deshonestas, muéstreles a sus hijos el alto precio que pagan por su comportamiento dañino. Al ver el contraste entre los beneficios de la honestidad y los perjuicios de la falta de honestidad, los niños pueden comprender que la vida es mucho mejor cuando la honestidad forma parte del comportamiento.

Momento educativo

Un día en que la familia Ramírez estaba de compras, vieron que un cajero le había dado a una persona más cambio del debido y que ésta lo había devuelto. El cajero se mostró muy agradecido y dijo que, de no haber sido por la honestidad del cliente, habría tenido que pagar el dinero de su bolsillo.

— ¿No opinan que el acto de devolver el dinero al cajero fue muy honrado? — dijo Olga, dirigiendo su mirada directamente a los ojos de sus hijos —. ¡Cómo es de agradable ver que todavía hay gente honesta en el mundo! ¿Qué harían ustedes si un cajero les diera más cambio del que les debe?

Este suceso condujo a una interesante discusión sobre el carácter y la integridad: dos palabras cuyo significado los niños no comprendían realmente, pero que sus padres estaban tratando de enseñarles.

Demuestre el daño que puede causar la deshonestidad. Para mostrarles a los niños que la deshonestidad no paga, aproveche cualquier oportunidad para hablar sobre los efectos negativos de la deshonestidad. Mientras estén mirando televisión, señale las consecuencias de la deshonestidad de los personajes del programa; cuando estén comentando los sucesos del día, aproveche la oportunidad para señalar las consecuencias de la deshonestidad en el trabajo. Explique, por ejemplo, todo el tiempo y la energía que tuvo que invertir un colega para disculparse por haber dicho una mentira y para corregir su error.

"Mis padres me han dicho siempre que es mejor decir
la verdad para no meterse en los problemas que acarrea
una mentira, y evitar además los que se presentan cuando
los padres descubren, más tarde, la verdad".
— SHAUNA

Momento educativo

— Felipe, ¿ordenaste tu cuarto? — le preguntó Rafael a su hijo —. Tienes que hacerlo antes que nos vayamos para el partido de fútbol.

— Ya está ordenado — mintió Felipe. No quería hacerlo ahora, pues estaba demasiado emocionado con el partido y con la perspectiva de jugar como defensa. No podía concentrarse en nada distinto.

Cuando llegaron al campo deportivo, Felipe tomó su lugar y observó cuidadosamente el juego. Como estaba muy lento, tuvo tiempo para pensar en la mentira que le había dicho a su padre y en que, sin duda, lo descubrirían al volver a casa. Cuanto más lo pensaba, más le pesaba y, cuando miró hacia las graderías y vio a sus padres sentados allí, se sintió realmente culpable. En el entretanto, se le escaparon dos pases y no alcanzó a detener a un jugador que llegaba al arco, por lo cual el entrenador lo reemplazó y lo sacó del partido.

— Papá, debo decirte algo — comentó Felipe cuando se dirigían a casa, después del partido.

— ¿Qué pasa, hijo? — preguntó Rafael.

— La verdad es que no ordené mi cuarto antes de salir — dijo Felipe tímidamente —. Lo siento.

— Yo también lo siento — repuso Rafael muy serio —. Pensé que podía confiar en que me dirías la verdad, a cualquier costo.

En las horas de la tarde, Felipe y Rafael estaban sentados en la cama mirando el cuarto, que ya estaba ordenado.

— Supongo que te sentiste muy mal por lo que ocurrió hoy — comentó Rafael —. Y apostaría que ésa fue la razón por la que estuviste tan distraído durante el partido. Probablemente te sentías culpable.

— Sí, así fue — repuso Felipe —. No me gustó lo que sentía, y pensé mucho en ello —. Calló por un momento y luego dijo —: Ricardo me invitó a dormir en su casa esta noche. ¿Puedo ir?

— Lo siento — contestó Rafael —. Me habría

gustado que lo hicieras, pero debido a tu deshonestidad de hoy, no creo que sea lo justo.

Rafael se sentía realmente mal por tener que negar el permiso, pero sabía que, al experimentar el desagradable resultado de la mentira, su hijo entendería su costo y aprendería que más valía pagar el precio de la honestidad.

Cuídese de las "mentiritas blancas". Los niños son imitadores naturales y copian el comportamiento de aquellos a quienes respetan. Evite cualquier clase de mentira; su hijo estará observando sus actos, que siempre hablan más alto que las palabras.

"Ser honesta ha formado siempre parte de mi vida, porque mis padres piensan que las mentiras hacen que la vida se vuelva confusa".
— Olga

Momento educativo

Felipe contestó al teléfono y escuchó la voz de una vecina que no era del agrado de su madre.

— Dile que no estoy — dijo su madre, agitada —. ¡No! ella sabrá que eso no es cierto. Dile que estoy duchándome.

— Mamá, no quiero mentirle a la señora Rincón. Por favor, habla con ella — rogó Felipe.

— ¡Dile lo que te acabo de decir! — replicó su madre, sintiéndose todavía más ofuscada por estar exigiéndole a su hijo que mintiera.

Dar ejemplo de deshonestidad, en cualquiera de sus formas, y animar a un niño a mentir, no sólo le enseña a mentir, sino que además lo confunde, pues él necesita tener normas concretas y coherentes. Olga comprendió que al mentir se estaba haciendo daño a sí misma (además de herir a su vecina y a su hijo). Es más: tampoco se sentía a gusto al hacerlo. Le pidió, por lo tanto, disculpas a su hijo y le explicó que había cometido un error al tratar de manejar la situación por medio de una mentira. Seguidamente se puso a buscar otras soluciones para enfrentar el problema la próxima vez, y llegó a la conclusión de que nunca es tarde para aprender lecciones de honestidad.

"Debemos dejar de engañarnos a nosotros mismos. Debemos abandonar la mentira. La verdad siempre es mejor".
— R. BUCKMINSTER FULLER

18

Confiabilidad

*"Lo qué usted le niega a los demás, le será negado, por
la sencilla razón de que usted siempre está legislando
para usted mismo; todas sus palabras y sus acciones
definen el mundo en el que usted quiere vivir".*
— Thaddeus Golas

> **confianza.** *f.* Acción de confiar en el carácter, la habilidad,
> la fortaleza o la verdad de una persona o de algo.
> **confiar.** Esperar con firmeza y seguridad.

o "Sé que puedo contar con que harás lo que te pedí que
   hicieras".
o "Mamá, puedes contar conmigo. Haré mis labores domésticas antes de irme".
o "Sé que puedo confiar en que te portarás bien durante
   el fin de semana en casa de Oscar".
o "¡Confía en mí! Sabes que te devolveré el préstamo".

"**A**póyate en mí" es una canción que se hizo famosa por su
embrujadora melodía y sincera letra. "Todo el mundo nece-

sita una persona en la cual apoyarse", es una frase famosa de una canción de Bob Dylan que nos recuerda la importancia de ser confiable. ¿Por qué tanto alboroto respecto al hecho de inspirar confianza? Por que este rasgo de la personalidad es muy valioso y puede convertirse en parte del comportamiento de un niño en una edad temprana.

Para que aprenda a ser confiable, a un niño se le debe enseñar a preocuparse por sí mismo y por los demás. Cuando uno se preocupa por sí mismo y por sus congéneres, se asegura de cumplir sus promesas, de cultivar el sentimiento de la confianza y de lograr la meta de que los demás puedan contar con uno. Lo magnífico de alcanzar esta meta es su acción refleja: cuando los demás cuentan con usted porque es confiable, probablemente le devolverán el favor.

"Cuando alguien deposita su confianza en usted, debe sentirse honrado".

— Kristina

¿A qué nos referimos cuando hablamos de confiabilidad?

- Una persona confiable se preocupa por las necesidades de los demás.
- A las personas confiables las guía un poderoso deseo de portarse de manera que la gente confíe en ellas.
- Para ser confiable, uno debe respetarse a sí mismo suficientemente como para tener en cuenta las opiniones de los demás.
- Quienes hacen el máximo esfuerzo para cumplir sus

promesas pueden crearse la reputación de que son confiables.

Conozca a la familia Acosta

José y Rosalba Acosta querían que sus hijas Rebeca, de diez años, y Raquel, de seis, aprendieran a ser personas confiables antes de llegar a la adolescencia. Tenían un largo camino por delante, porque Rebeca algunas veces mentía respecto a sus deberes a fin de poder mirar televisión o salir a jugar, y Raquel arrojaba la ropa limpia dentro del armario en vez de guardarla cuidadosamente. Para que sus hijas aprendieran a ganarse la confianza de sus padres, José y Rosalba decidieron hacer un esfuerzo mancomunado para enseñarles las habilidades que las llevarían por el camino que conduce a convertirse en alguien en quien se puede confiar, porque no sólo dice la verdad sino que también hace lo que dijo que haría.

Herramientas de enseñanza

Dé ejemplo de confiabilidad. Los niños aprenden mejor cuando ven a los demás hacer las mismas cosas que les exigen a ellos. Para enseñar a sus hijos las habilidades que se requieren para llegar a ser confiable, es importante mostrarles diariamente por qué pueden depositar su confianza en los adultos. Procure cumplir sus promesas de llegar a tiempo, de llevar a cabo sus amenazas y de realizar lo planeado a no ser que tenga serias razones para cambiarlas. Además, elija con cuidado las palabras que usa para describir posibles planes. Si usted *cree* que *podría* ir al cine el sábado con sus hijos, dígaselo utilizando la palabra "trataré" en vez de emplear la palabra "prometo".

Momento educativo

— ¡Pero prometiste que nos llevarías al cine hoy! — reclamó Raquel —. ¡Nunca cumples tus promesas!

— En primer lugar, no les prometí llevarlas al cine hoy. Dije que trataríamos de ir, si podíamos. Pero sabes que Rebeca tiene un partido de baloncesto esta tarde, e iremos con ella — explicó pacientemente Rosalba —. Y en segundo lugar, sí me esfuerzo por cumplir mis promesas, y tengo el cuidado de decírtelo cuando se trata de una promesa. Por eso cuando diga que trataré de hacer algo, por favor pregúntame si es una promesa.

— Está bien, mamá. Pero de todas formas quisiera ir al cine un día de éstos — dijo Raquel —. ¿Podemos ir el próximo sábado?

— No estoy segura. Tendremos que ver cómo está la agenda. Pero si no hay nada programado, podemos ir.

— ¿Lo prometes? — preguntó inmediatamente Raquel.

—Todo lo que puedo prometer es que miraremos la agenda y, si no hay ningún otro compromiso, lo programaremos — dijo Rosalba pacientemente —. No puedo prometer que iremos hasta que sepamos si disponemos del tiempo para hacerlo.

Rosalba se sintió complacida de que su hija estuviera aprendiendo la diferencia entre una "posibilidad" y una "promesa": una distinción importante que ella tendría que hacer durante el resto de su vida.

Exija que los niños cumplan sus promesas. A menudo los niños hacen promesas que no pueden cumplir. Ayudarlos a moderar sus promesas y a cumplir las que hayan hecho son pasos que contribuirán a que adquieran confiabilidad.

Advertencia: no recuerde insistentemente sus deberes a los niños.

Cuando los padres recuerdan insistente y permanentemente a los niños lo que deben hacer, ellos no aprenden a ser confiables, porque saben que si no hacen lo que se espera de ellos, alguien se los recordará. Mas aún: generalmente es más fácil para ellos soportar el desagrado que produce la insistencia de los padres, que aceptar la responsabilidad de los actos y las palabras propios.

Para enseñar esta virtud sin convertirse en una grabadora, utilice una lista que sirva de recordatorio de lo que hay que hacer, y exija que su cumplimiento sea un requisito para que el niño pueda hacer luego lo que él quiera.

Momento educativo

— Haré mis deberes antes de que sea la hora de ir al concierto. Puedo hacerlo, lo prometo. Sólo miraré el resto de este programa y luego empezaré a hacerlos — le prometió Rebeca a su madre.

Rosalba sabía que Rebeca tenía muchos deberes

que hacer antes de ir al concierto de la escuela a las siete. Necesitaría dedicar todo el tiempo disponible, si quería haber terminado antes de irse.

— ¿Qué tanto debes hacer? — preguntó en forma inocente.

— No mucho. Alcanzaré a terminarlo. ¡No hay problema! — fue su respuesta.

— ¿Qué tienes que hacer, exactamente? — insistió Rosalba, deseosa de saber la verdad.

Pues tengo cuarenta problemas de matemáticas, debo redactar unas oraciones en inglés, aprender algo de vocabulario y luego hacer una redacción de cien palabras acerca de la selva húmeda, que hemos estado estudiando en la clase de ciencias.

— ¡Oh! — exclamó Rosalba —. A mí me parece un montón de trabajo. ¿Estás segura de que puedes terminarlo todo? ¿Cuánto tiempo crees que te tomará hacer los problemas de matemáticas?

— No mucho. Unos cuarenta y cinco minutos, supongo. Eso me demoré haciendo los de ayer —, Rebeca ya estaba frunciendo el ceño. Miró el reloj y empezó a hacer algunos cálculos mentales —. Tal vez sea mejor que empiece ahora mismo — dijo sobriamente, mientras apagaba el televisor y se dirigía a su cuarto.

— Creo que has tomado una muy buena decisión. No me gustaría que no pudieras cumplir la promesa que hiciste de terminar antes del concierto. Es muy importante que cumplamos nuestras promesas — dijo Rosalba mientras acompañaba a su hija hasta su cuarto —. Te llamaré cuando esté lista la cena.

Asigne labores en el hogar. Los niños que tienen responsabilidades que asumir en el hogar aprenden a ser confiables,
por cuanto la familia cuenta con que ellos cumplan con sus
quehaceres. La dificultad que enfrentan la mayoría de los
padres, sin embargo, es lograr que los niños efectivamente
realicen esas tareas. Para motivar a sus hijos a que hagan las
labores que les fueron asignadas, confeccione una lista de
éstas y otórgueles privilegios, tales como jugar con los
amigos o mirar televisión, sólo cuando las hayan terminado. Al asimilar esta ética de trabajo, los niños aprenden a
hacer lo que deben hacer, antes de poder hacer lo que les
place, que es la base para llegar a ser confiable.

Advertencia: no permita que los niños pospongan
sus labores.

Los niños a quienes se les permite posponer las
labores, ya sean difíciles o sencillas, no aprenden a ser
confiables porque no pueden establecer prioridades.
En vez de permitir que los niños hagan lo que les
plazca antes de hacer lo que deben hacer, invoque la
"regla de la abuela". Cuando aprendan a hacer primero las cosas difíciles no tendrán razones para pospo-
nerlas.

Momento educativo

— Quiero ir a casa de Mónica el sábado — anunció
Rebeca cuando llegó de la escuela —. ¿Puedo ir?

— Sí, puedes ir cuando hayas hecho tus quehaceres y hayas ordenado tu cuarto — repuso
Rosalba.

— ¡Pero quiero ir antes de hacer todo eso! — se quejó Rebeca —. Haré mis quehaceres cuando regrese. Lo prometo.

— Sé que quisieras ir temprano por la mañana, pero ya sabes la regla — le recordó Rosalba —. Todo lo que está en tu lista debe estar terminado antes de que puedas hacer ninguna otra cosa.

— No es justo. Nadie más tiene que hacer cosas antes de ir a jugar. ¡Odio esta casa! — exclamó la niña y salió zapateando.

El sábado, sin embargo, Rebeca se levantó temprano para terminar de ordenar su cuarto, que había empezado a arreglar la noche anterior. Después de aspirar los tapetes y recoger el desorden, se duchó y estuvo lista para irse.

—Debes sentirte orgullosa por haber hecho todo tu trabajo tan rápidamente y tan bien. Ahora puedes irte a casa de tu amiga y yo te llevaré con gusto — le dijo José a su hija cuando ésta le entregó la lista con los quehaceres terminados —. Rebeca, me gusta mucho saber que puedo contar contigo.

"Mis padres decían: 'Si nosotros no podemos contar contigo, entonces ¿cómo podrán contar contigo los demás?'".
— Dan

Fomente los actos confiables. Los niños pueden actuar confiablemente bastante a menudo, y es deber de los padres elogiar el hecho de que sean confiables cuando así lo demuestren. Darles como recompensa un elogio cumple varios propósitos: enseña a los niños comportamientos que son importantes; los hace sentirse bien consigo mismos y sus realizaciones; aumenta la probabilidad de que el comportamiento se repita. Para ayudar a sus hijos a que asimilen la virtud de la confiabilidad, esté pendiente de los actos confiables. Cuando los descubra, señáleselos y describa el comportamiento.

ADVERTENCIA: NO UTILICE RECOMPENSAS TANGIBLES.

Los niños que reciben caramelos, juguetes, o cualquier otra clase de recompensas tangibles por hacer cosas que deben hacer, no logran que la confiabilidad se convierta en una manera de comportarse motivada internamente. En cambio, esperarán obtener siempre algo material por todo lo que hagan; sin recompensas, creerán que no hay ninguna razón para hacer lo que se espera de ellos.

En vez de dar recompensas materiales, permita que sus hijos obtengan privilegios por haber cumplido con su deber.

Momento educativo

Cuando Raquel terminó su desayuno, tomó su plato de cereal de la mesa y lo llevó hasta el lavaplatos. Después enjuagó el plato y lo depositó en el lavaplatos eléctrico. Finalmente, tomó una esponja y limpió su puesto en la mesa. Después de guardar los cereales, se fue a jugar.

Rosalba entró en la cocina después que su hija la había dejado resplandeciente de limpieza y se maravilló al ver que Raquel la había dejado tan ordenada. Sonriendo de oreja a oreja, encontró a su hija jugando con una muñeca y se deshizo en elogios.

— ¡Raquel, hiciste un trabajo excelente cuando limpiaste después del desayuno! Hasta recordaste guardar los cereales. Me complace pensar que puedo contar con que tú ordenas y limpias lo que usas — dijo Rosalba, iluminada de placer, y Raquel sonrió orgullosamente.

Rosalba notó que, durante todo el día, Raquel había llevado a cabo sus quehaceres sin que nadie se lo recordara, y que se había ofrecido a ayudar incluso cuando no era necesario. Ésta era una prueba positiva de que Raquel estaba cumpliendo sus propias expectativas en cuanto a una manera de actuar que complaciera a su madre, además de constituir un comportamiento virtuoso.

"Hay felicidad cuando se transciende el propio yo
para servir a los demás".
                                        — MADRE TERESA

19

Autodisciplina

"El respeto a sí mismo, el conocimiento de sí mismo y el control de sí mismo: sólo ellos tres conducen al poder supremo".
— Lord Tennyson

> **disciplina.** *f.* Sumisión a un reglamento. Obediencia, orden.
> **autodisciplina.** *f.* Autocontrol. 2. Disciplina y capacitación de sí mismo, usualmente para mejorar.

○ "Sí, comprendo la regla, y siento haberla quebrantado".
○ "Recordé la regla y decidí no golpear a mi hermano".
○ "Mamá, ¿cuál es la regla respecto a los juguetes?"
○ "Me gusta jugar aquí porque hay reglas".

LA AUTODISCIPLINA, TAL COMO LA MANIFIESTAN los niños en los anteriores comentarios, no es un término que la gente utilice a diario en la educación de los hijos, pero debería usarse porque es la esencia de la capacidad para llevar una vida independiente y autosuficiente. También se requiere tener autodisciplina para tomar decisiones que puedan implicar jugar menos (diversión) en determinado momento, para tener luego un mayor sentido de realización (satisfacción). De hecho, el dilema que los niños enfrentan, con frecuencia, en lo que respecta a su comportamiento en la escuela, en los deportes y en las situaciones sociales, es "diversión" frente a "satisfacción". Pero si el niño tiene el arma de la autodisciplina puede elegir, confiadamente, actividades satisfactorias tales como hacer los deberes, en vez de tomar un atajo de "diversión", como, por ejemplo, copiar el trabajo de un compañero. "Esta decisión te dará sus frutos a largo plazo" y "Algún día llegarás a valorarlo" son dos máximas que no producirán ningún efecto en niños que no sean capaces de ver más allá del presente inmediato. Por esta razón, enseñar a los niños a ser disciplinados es algo que les servirá tanto en el momento actual como a largo plazo.

¿A QUÉ NOS REFERIMOS CUANDO HABLAMOS DE AUTODISCIPLINA?

o Actuar a partir de un marco de referencia interno y no motivado por el control externo ejercido por una representación de la autoridad (sea el padre, el profesor o la niñera) es una muestra de autodisciplina.

o Una persona autodisciplinada es capaz de proyectarse a sí misma en "el mundo" de otra persona y de comprenderlo.

o Ser capaces de decidir cuáles son los límites de nuestro comportamiento, así como respetar los límites de los demás, son muestras de autodisciplina.

o La capacidad de renunciar a una satisfacción o placer

inmediato en aras de un bien mayor, exige autodisciplina.

o Fijarse metas y trabajar para alcanzarlas es un ingrediente clave de la autodisciplina.

o La autodisciplina es una herramienta necesaria para adquirir los elementos claves del buen carácter.

Conozca a la familia Castro

Juliana Castro y su esposo, Tomás, venían observando cómo, cuando jugaban sus hijos Roberto, de tres años, y Carlos, de cinco, su comportamiento era destructivo, se mostraban francamente agresivos y además eran muy escandalosos. Sus padres habían creído que darles libertad para explorar sin imponerles mayores límites de comportamiento, les permitiría llegar a ser personas seguras y creativas. ¡Pero estaba ocurriendo exactamente lo contrario!

Inseguros acerca de cómo proceder, Juliana y Tomás optaron por dar un giro radical. Exigieron a sus hijos que se comportaran apropiadamente, y cuando no se portaban según los estándares adultos, los zurraban. Los resultados de este experimento fueron aún más desastrosos. Esta clase de educación sólo produjo más caos, ira y rebeldía.

Fue entonces cuando Juliana y Tomás decidieron tratar de dar a sus hijos un conjunto de controles internos para su comportamiento, en vez de "controlarlos" ellos mismos. ¡Y se produjo el milagro! Esta vez sus sueños se convirtieron en realidad: a medida que los niños fueron aprendiendo a tomar decisiones y a aceptar las consecuencias de éstas, su comportamiento fue cada vez más apropiado y autodisciplinado.

*"Realmente es útil ser autodisciplinado, porque así
uno es más independiente y organizado".*
— KATIE

HERRAMIENTAS DE ENSEÑANZA

Establezca reglas, límites y fronteras. Los niños necesitan reglas por varias razones: para poder manejar su comportamiento, para desarrollar un sistema interno de or-
ganización, y para poder prever los resultados de los
sucesos de la vida. Establezca las reglas para el comportamiento de sus hijos basándose en lo que *quiere* que ellos
hagan y no en lo que *no quiere* que hagan. Las reglas "afirma-
tivas" le recuerdan al niño las metas que usted le ha fijado y
describen los nuevos comportamientos que usted quiere que
adquiera. Las reglas "negativas" sólo le dicen al niño lo que
no debe hacer; no presentan opciones nuevas aprobadas por
los padres para que el niño cambie su comportamiento.

Momento educativo

— Las cosas se están saliendo de su cauce — le dijo
Juliana a su esposo una noche, cuando los niños ya se
habían acostado —. Siento que todo mi tiempo se me
va en regañar a los niños para lograr que hagan algo.

— No tienen mucha autodisciplina, ¿no es cierto? — comentó Tomás, mientras cambiaba de cana-
les en la televisión.

— Necesitamos algunas reglas — prosiguió
Juliana —. Parece que ellos no tienen ningún orden
en sus vidas, y las reglas tal vez puedan guiarlos en
alguna dirección.

— ¿Qué clase de reglas? — preguntó Tomás con aire distraído.

— Reglas sobre las labores domésticas, sobre llevarse bien, en fin, sobre cosas de ese estilo — repuso Juliana.

Después de discutirlo un poco más, los Castro iniciaron el proceso de establecer reglas fijando unas sencillas, comprensibles y realizables:

Regla 1. Pon tu ropa sucia en la canasta.
Regla 2. Si alguien está utilizando un juguete, dé-
jalo en paz.
Regla 3. Cuando te llame, debes venir.
Regla 4. Mastica con la boca cerrada.
Regla 5. Espera tu turno.
Regla 6. Llévate bien con tu hermano.

Tal como lo habían decidido, estas reglas no sólo se referían a las labores domésticas (era bueno que los niños empezaran a realizar algunas labores), sino que dejaban muy en claro para los niños cuáles eran las expectativas que sus padres tenían respecto a la manera armoniosa como debían manejar sus relaciones familiares. Una vez quedaron establecidas las reglas, Juliana sólo tenía que decir: "¿Cuál es la regla sobre compartir?" o "¿Cuál es la regla sobre masticar cuando estás comiendo?" Cuando uno de los niños estaba infringiendo determinada regla, el hecho de que le pidieran que la recitara no sólo la reforzaba, sino que además servía para fijarla cada vez más en su memoria.

Refuerce las reglas. Establecer las reglas es sólo el primer paso para fomentar la autodisciplina. Una vez que han sido seleccionadas y se han presentado a los niños, hacerles saber qué ocurrirá si las siguen, al igual que si las infringen, es el próximo paso para desarrollar la autodisciplina de los jóvenes... y de los adultos.

ADVERTENCIA: EVITE EL CASTIGO CORPORAL.

Castigar duramente a los niños por no seguir las reglas sólo les producirá ira y resentimiento. También les enseñará a evitar a los adultos que los castigan en vez de moverlos a que las cumplan.

Momento educativo

— Ahora que saben la regla acerca de que, si alguien tiene en sus manos determinado juguete, debe dejársele en paz, permítanme decirles qué ocurrirá si tratan de quitárselo — les dijo Juliana a los niños después de haberles dado a conocer las nuevas reglas familiares —. El juguete saldrá de circulación por el resto del día, y además ustedes irán "al rincón".

— Si siguen la regla — prosiguió Juliana —, podrán disfrutar de sus juguetes y jugar el uno con el otro.

El conocer esta consecuencia enseñó a los niños a optar por jugar de acuerdo con las reglas a fin de obtener los beneficios correspondientes, lección ésta que les serviría durante el resto de la vida.

El establecimiento de reglas les permitió a los niños tener objetivos y expectativas en relación con su comportamiento, y decirles las consecuencias les ayudó a tomar decisiones sobre cómo comportarse antes de meterse en problemas.

Elogie frecuentemente el comportamiento de los niños cuando cumplan las reglas. ¿Cómo sabrán los niños si algo que han hecho es digno de elogios? Usted debe encargarse de eso: asegúrese de elogiar el cumplimiento de las reglas describiéndoles lo que han hecho y explicándoles por qué es admirable.

Momento educativo

Cada vez que los Castro veían que los niños habían seguido una regla, los elogiaban mucho.

— ¡Qué bien, Roberto!, permitiste que tu hermano jugara con ese juguete hasta que se aburriera. Seguiste la regla sobre compartir y eso hizo que todo el mundo pudiera divertirse jugando — comentó Juliana —. Además, te acordaste de poner la ropa sucia en la canasta antes de bañarte. Eso me ayudó mucho; gracias por seguir la regla.

Más tarde, Juliana notó que Carlos había acudido prontamente a su llamada, cosa que en general era remiso a hacer. Para estimular este gran paso hacia el comportamiento debido, Juliana lo cumplimentó con gusto:

— Carlos, viniste inmediatamente que te llamé. ¡Me encanta que me prestes atención!

Todo el mundo en el hogar de los Castro se sentía más contento porque se estaban concentrando en lo positivo, en el comportamiento debido.

Al elogiar el comportamiento con frases que lo

describían específicamente, Juliana no sólo podía recordar las reglas a sus hijos sino además explicar la importancia de seguirlas, lo cual aumentaba la posibilidad de que se siguieran cumpliendo.

Haga listas y esquemas para los niños mayores. En el proceso de ayudar a los niños a adquirir más autodisciplina, hacer listas y esquemas sirve para recordarles lo que deben hacer sin necesidad de estar insistiendo en ello permanentemente. Las listas proporcionan una estructura externa que es neutral (a diferencia de un ser humano, que puede ser visto como "el enemigo"). Estos recordatorios externos pronto formarán parte de las reglas internas (que es el objetivo de la autodisciplina), a medida que el niño se acostumbre a seguir la lista.

A menudo, a los niños mayores les molesta que les vivan diciendo lo que deben hacer. Por eso seguir una lista o un esquema les permite organizarse, sin dejar de aferrarse a su independencia, e ir adquiriendo autodisciplina. Hacer un sencillo "libro de reglas" o esquematizarlas en unas hojas es útil para los niños mayores, como también para los padres, pues se pueden repasar cuando alguno de los miembros de la familia haya olvidado cómo está definida una de ellas. El libro de reglas disminuye las discusiones y desacuerdos sobre lo que ha sido acordado en conjunto, lo cual permite que la familia entera contribuya a lograr los objetivos comunes. Cuando no existe un "campo enemigo", es más fácil llegar a autodisciplinarse.

Momento educativo

Cuando el hermano de Tomás, David, iba con su familia a visitar a los Castro, sus hijos, de siete, once y trece años, eran tan inmanejables como lo habían sido anteriormente los hijos de Tomás. Cuando vieron lo que Juliana y Tomás habían logrado con sus hijos, David y su esposa, Adriana, decidieron ensayar algunas de sus estrategias. Hicieron esquemas con las labores domésticas que debía realizar diariamente cada niño, y organizaron su horario para que dispusieran del tiempo necesario para llevarlas a cabo. Además de los esquemas, iniciaron un libro de reglas en el cual fueron consignando las reglas que creían que la familia necesitaba.

Cuando les estaba explicando el libro de reglas a sus hijos, David dijo: — Generalmente, a todos se les hace tarde para desayunar; por lo tanto, vamos a establecer una nueva regla. Para poder mirar televisión por la mañana antes de ir a la escuela, deben estar en la mesa del desayuno, vestidos y listos para ir a la escuela, a las siete y quince. Consignaré esta regla en el libro.

Cuando vieron que sus hijos seguían las reglas, se dedicaron a darles retroalimentación positiva elogiando específicamente cada comportamiento, lo cual les ayudaba a los niños a saber cuándo habían optado por una conducta apropiada. Las violaciones de las reglas tendrían consecuencias naturales que les permitirían enmendar su comportamiento sin sentirse mal consigo mismos.

— Siento mucho que hayas optado por no seguir la regla — le dijo Adriana a uno de sus hijos —. Ahora tendrás que esperar el autobús de la escuela en el otro cuarto, sin mirar televisión. Tal vez mañana puedas sentarte a mirar con nosotros mientras lo esperas.

Apelar a las consecuencias naturales permitió que los niños aprendieran que el comportamiento que elegían tenía determinados resultados, y que eran ellos quienes controlaban esos resultados, según las decisiones que tomaran. Las reglas sirven como guías y las consecuencias deben estimular su seguimiento.

Ayude a los niños a establecer metas y a lograrlas. Cuando los niños desean determinadas cosas, pueden convertirse en maestros para obligar a sus padres a que se las consigan. Para llegar a ser autodisciplinados, los niños deben aprender a fijarse metas a sí mismos, a decidir los pasos que se requieren para alcanzarlas, y a trabajar de manera consecuente para lograrlas. De esta manera, evitan las luchas de poder, las tácticas de manipulación y el sentimiento de no ser ellos quienes conducen su propia vida.

ADVERTENCIA: EVITE SALVAR DEL FRACASO A LOS NIÑOS.

Cuando los niños establecen metas y pierden después el interés en alcanzarlas, los padres a menudo quieren evitarles la desilusión y resuelven darles, de todas formas, lo que querían. Permitir que logren la meta sin haber trabajado para alcanzarla impide que los niños aprendan a encarar la desilusión y les enseña una lección poco saludable: que con un mínimo esfuerzo pueden obtener lo que quieren.

Momento educativo

Cuando Carlos pidió un juguete nuevo que había visto en la televisión, su madre dijo:

— La próxima vez que vayamos al centro comercial, miraremos el precio.

Cuando supieron el precio, Carlos y su madre hicieron una caja con una fotografía del juguete y la colocaron en el escritorio del cuarto del niño. Él podría poner su dinero en la caja y contarlo de vez en cuando, para ver cuán cerca estaba de alcanzar su meta.

Si el niño quería gastar su dinero en caramelos o chicles, Juliana le preguntaba si todavía pensaba que el juguete era la cosa que más deseaba en el mundo entero.

— Pensé que estabas ahorrando para el juguete — comentaba Juliana —. ¿Estás seguro de que quieres gastar tu dinero en ese caramelo?

Generalmente, Carlos reflexionaba un momento, guardaba nuevamente el dinero y sonreía, pues sabía que era él quien estaba decidiendo ahorrar su dinero.

Fomente la cooperación. Los niños que trabajan en busca de recompensas tangibles, tales como dinero, caramelos o galletas, aprenden a esperar una recompensa externa por su comportamiento. En vez de autodisciplinarse, se vuelven dependientes de los demás, pues éstos controlan su comportamiento motivándolos a optar por hacer cosas positivas sólo para obtener un premio. Motive a su hijo internamente señalando, por ejemplo, la gran ayuda que recibió de él cuando le ayudó a cargar las bolsas del mercado, en vez de salir corriendo del automóvil a jugar al jardín.

Momento educativo

— Cada vez que pongan la ropa sucia en la canasta, les daré un chocolate — les dijo Juliana a los niños.

Unas semanas más tarde, cuando les pidió que guardaran los juguetes, uno de ellos preguntó:

— ¿Cuántos chocolates nos darás?

En lugar de querer cooperar, los niños decidían ahora si hacían o no algo basándose en el tamaño de la recompensa.

Juliana decidió explicarles cuánto tiempo se ahorraba ella cuando los niños llenaban ellos mismos la canasta y agradecerles con actos cariñosos su contribución. Las miradas de orgullo en los ojos de sus hijos le demostraron que habían aprendido la importante lección de sentirse bien al ayudar a alguien, y se sintieron motivados a tener la suficiente autodisciplina para hacerlo, incluso aunque prefirieran hacer algo distinto de guardar los juguetes o recoger la ropa sucia.

Dé ejemplo de autodisciplina. Aunque pueda ser difícil hacerlo, la mejor manera de enseñar autodisciplina es ser usted mismo un modelo de autodisciplina. Es posible que se sienta tentado de dejarse llevar por la ira cuando está molesto por algo que ocurrió en el trabajo o en la casa. Pero si procura convencerse a sí mismo de que debe mantener la calma y buscar la solución del problema, en vez de refunfuñar y tirar las cosas en señal de disgusto, estará demostrando que tiene la capacidad de poner en práctica lo que enseña. Es difícil enseñar la autodisciplina, si usted mismo no la ha aprendido.

Momento educativo

¡Juliana estaba histérica! Había tenido un día terrible en el trabajo. Cuando llegó a la casa, a las cinco y media de la tarde, todo lo que podía salir mal, salió mal. El horno se había dañado, lo cual descubrió veinte minutos más tarde, cuando se dio cuenta de que no había olor alguno de comida cocinándose. Se sentó a la mesa de la cocina y sintió deseos de llorar.

Carlos le preguntó qué ocurría. Estuvo a punto de darle un grito, pero hizo acopio de toda su autodisciplina y dijo:

— Mamá tuvo un mal día. Estoy preocupada porque la cena no estará lista a tiempo, pues el horno se dañó. ¿Qué podemos hacer? — preguntó tranquila y tristemente.

Para su complacencia, su estado de ánimo fue acogido con empatía.

— Yo también estoy triste — dijo Carlos —. Pero tengo algún dinero de mi cumpleaños. ¡Invitaré a la familia a cenar!

Juliana sonrió por primera vez en el día. En compañía de su hijo hicieron una lista de opciones para la cena, y después de sopesar las consecuencias de cada una, decidieron escoger la que había propuesto Carlos. Fue una noche especial que recordaron durante años: ¡de una situación totalmente adversa resultó algo maravilloso!

"Es bueno que todo viaje tenga un destino; pero al final lo que importa es el viaje".

— URSULA K. LE GUIN

20

COOPERACIÓN

"No podemos vivir sólo para nosotros mismos. Mil fibras nos conectan con nuestros congéneres y, a través de esas fibras, como hilos conductores compasivos, nuestras acciones fluyen como causas y regresan a nosotros en forma de efectos".
— HERMAN MELVILLE

cooperar. 1. Actuar o trabajar con otro u otros; actuar conjuntamente. 2. Asociarse con otro u otros para beneficio mutuo. Ayudar, colaborar, contribuir.

- "Sacaré del automóvil las bolsas del mercado. Me gusta contribuir en algo".
- "Trabajemos juntos en la limpieza de la cocina. Así acabaremos más rápido".
- "Si nos apresuramos, podemos terminar pronto y mirar televisión".
- "Creo que es divertido para todos nosotros trabajar juntos así".

EL ÚLTIMO VALOR de que trata este libro es, tal vez, un buen resumen de los anteriores diecinueve. Cuando un niño se comporta con honestidad, respeto y empatía, por ejemplo, entonces cooperará naturalmente con los demás porque los respeta, puede ponerse en su lugar y los trata con justicia. Los niños cooperadores no necesariamente hacen todo lo que una persona les pide que hagan. De hecho, preocuparse por el bienestar de los demás, al igual que del propio, es lo que hace que la cooperación funcione bien. Particularmente a medida que nuestra vida se va volviendo cada vez más complicada, disponemos de menos tiempo para ser egoístas y no estar dispuestos a llegar a un compromiso. A través de la cooperación, cada cual tiene la oportunidad de sentirse valorado y especial: la meta última de una sociedad democrática y cooperativa.

"Creo que la cooperación es muy importante: es como cuando dos personas no están de acuerdo, pero tienen que llegar a un mismo lugar a una hora específica y no disponen sino de un automóvil".

— JOYCE

¿A QUÉ NOS REFERIMOS CUANDO HABLAMOS DE COOPERACIÓN?

o "Ninguno de nosotros es tan inteligente como todos nosotros juntos" es una divisa positiva que expresa la base de la cooperación.
o Para cooperar, uno debe adquirir un sentido más elevado del deber, una obligación ante el supremo bien.
o Si consideramos el trabajo y el juego desde el punto

de vista de otra persona, podemos aprender a cooperar con ella.

○ Cuando cooperamos, debemos estar dispuestos a combinar las fuerzas para lograr una meta.

○ La colaboración es un ingrediente importante de la cooperación.

CONOZCA A LA FAMILIA GARCÍA

Felipe y Patricia García querían que Raúl, su hijo de nueve años, y Jorge, su hijo de seis, aprendieran a cooperar con otros niños en la escuela, pero ellos estaban mucho más interesados en satisfacer sus propios y egoístas intereses, y preferían, por ejemplo, mirar revistas de fútbol en vez de escuchar a los demás. ¿Cuando llegaran a la edad adulta se interesarían más por pasar un buen rato que por el bien de los demás? Los García rara vez hacían cosas en conjunto como familia, porque Raúl simplemente se negaba a hacer lo que sus padres tenían programado. Patricia se sentía abrumada por su papel de madre y por tener que vivir machacándoles a Raúl y a Jorge constantemente su obligación de ocuparse de su perro, Prince, de su gata, Dolly, y de sus cuartos. Ella sabía que, para poder sentirse como una familia, todos tenían que cooperar en el manejo de la casa y compartir sus experiencias, incluso aquéllas tan sencillas como ir a un partido de fútbol o salir a cenar. Con la meta de inculcar en los niños la virtud de la cooperación, Patricia y Felipe empezaron a evaluar su propio comportamiento y a fijarse en cómo éste se reflejaba en sus hijos.

HERRAMIENTAS DE ENSEÑANZA

Fomente el deseo de compartir. Vivir en forma cooperativa dentro de una familia implica aprender a compartir, y
compartir requiere que la persona trascienda su interés
propio y lo subordine a la satisfacción de las necesidades de
los demás. Para enseñar a compartir, es importante establecer algunas reglas básicas. Para los niños en edad
preescolar, la regla respecto a compartir debe instituir que
lo que un niño tenga en la mano, puede conservarlo.
Cuando lo deje de lado, queda disponible para que los demás
lo usen; si un juguete causa problemas, se guarda durante
veinticuatro horas. Para los niños mayores, el concepto
abstracto de compartir, que entraña la cooperación con los
demás, es más fácilmente comprensible. Las reglas para los
niños en edades medias y para los adolescentes deben poner
énfasis en el deber de pensar en las necesidades de los demás
y en lo que cada cual obtendrá de una actividad.

Momento educativo

> Jorge entró en la cocina quejándose de que su hermano
> mayor, Raúl, no lo quería dejar entretenerse con el
> videojuego. Patricia inmediatamente fue a donde Raúl
> y le preguntó por qué no quería compartir el juego
> con su hermano. (Después comprendió que interve-
> nir en una pelea entre hermanos era una equivoca-
> ción, porque sólo aumentaba la rivalidad entre ellos.)
> — ¿Por qué no puede jugar Jorge contigo? —
> inquirió Patricia —. Tienen dos controles; de mane-
> ra que pueden jugar juntos.
> — No quiero jugar con él porque no es hábil —
> fue la respuesta escueta.

— Entonces, si no quieres jugar con él, tendrás que inventarte la manera de que él pueda compartir el juego contigo — ordenó Patricia —. Te daré diez minutos para que idees un plan para compartir el juego. Si lo ideas, podrás jugar un rato más. De lo contrario, lo apagaré.

Ya sé lo que haremos — fue la rápida respuesta de Raúl. Sabía que su madre hablaba en serio y apagaría el juego —. Nos turnaremos. Traeré el reloj de la cocina, y cada uno dispondrá de quince minutos.

— ¡Raúl, qué buena idea! — comentó Patricia, elogiosa —. Pero, ¿quién jugará primero?

— Podemos decidirlo a la cara o cruz — propuso Jorge, quien acababa de aprender a distinguir el anverso y el reverso de la moneda.

Después que los niños establecieron la regla para compartir el juego, Patricia cayó en la cuenta de que el reloj de la cocina pasaría más tiempo al lado del videojuego que en la cocina. Sin embargo, no le importó porque los niños estaban compartiendo el juego. Frecuentemente elogiaba la madurez de sus hijos al inventar la solución para el problema y ponerla en práctica.

— ¿No es agradable que los dos puedan jugar? — comentó mientras observaba cómo Raúl le daba instrucciones a su hermano pequeño para maniobrar en una sección particularmente difícil —. Y, Raúl, además estás ayudando a Jorge a jugar.

— Sí, y se está volviendo muy bueno — fue la respuesta emocionada de Raúl —. Ya casi me gana. Ahora jugamos mucho juntos.

Patricia se sintió complacida con la manera de

compartir y de cooperar de sus hijos. También comprendió que tendría que fomentar esa actitud en otros aspectos, como, por ejemplo, para decidir quién se sentaba en el codiciado asiento delantero del automóvil, a fin de que la cooperación se convirtiera en un "juego" que jugaran en otros campos de la vida.

"Cooperar y llegar a un compromiso son dos cosas que se parecen al sol y la luna: ambos dan buena luz".
— RACHEL

Fomente el placer del juego. Los niños de hoy en día disfrutan del deporte más que nunca antes, pero a menudo pierden de vista el placer de jugar, debido al ambiente altamente competitivo de los juegos organizados y al exceso de celo de los padres, quienes fomentan la idea de que "ganar es todo". Los deportes de equipo pueden ayudar a reforzar la idea de trabajar en cooperación para que todos se beneficien. Pero cuando los padres, los entrenadores y los niños se concentran en "ganar a toda costa", pierden de vista la alegría compartida que produce el hecho de "jugar para divertirse". La ventaja de concentrarse en jugar y no en ganar es que los niños se apartan de la competencia que los centra en sí mismos, para acercarse a la toma de conciencia de la cooperación, lo cual permite que todo el mundo se divierta más.

Para enseñar a los niños a compartir y cooperar en los deportes de equipo, haga énfasis en la alegría que produce jugar entre varios y en mejorar las habilidades, en vez de concentrarse en el resultado del partido. Elogiar el esfuerzo, la cooperación y el espíritu de equipo, y apartar, al mismo tiempo, a los niños de su concentración en el resultado de la competencia, disminuirá el estrés que se deriva de la competencia intensa y les ayudará a entender el valor del proceso del juego: la diversión que proviene de dar lo mejor de uno mismo y de estar orgulloso de ese esfuerzo.

Momento educativo

— ¡Los odio! — exclamó Raúl después de un partido de fútbol —. La última vez también nos ganaron.

— Pero yo creía que la mayoría de esos niños eran amigos tuyos — dijo Felipe.

— Pero, papá, ellos siempre ganan — se lamentó Raúl.

— ¿Ganar es tan importante que llegas a odiar a tus amigos porque ganaron un par de partidos? — prosiguió Felipe —. Tal vez no deberías jugar al fútbol, pues te pones demasiado furioso.

— ¡Porque quiero ganar! — gritó Raúl —. Somos, simplemente, unos perdedores.

— ¿Cómo es posible que perder un partido te convierta en un perdedor? — Felipe estaba decidido a tratar de que Raúl viera la falacia de su razonamiento.

— ¡Papá, uno tiene que ganar para ser un ganador! — dijo con impaciencia.

— Yo pensaba que el solo jugar ya era divertido. ¿Desde cuándo ganar se volvió tan importante?

— ¿Acaso todo el mundo no quiere ganar? — preguntó Raúl, intrigado por el razonamiento de su padre.

— Me parece que ganar es agradable, pero poder jugar con los amigos e ir mejorando tus habilidades en lo que haces debería ser lo más importante del juego — razonó Felipe.

— Pero nuestro entrenador quiere que ganemos — argumentó Raúl —. ¿Qué tal que simplemente fuéramos a tontear y perdiéramos el tiempo?

— Pienso que deberías hacer el máximo esfuerzo y jugar siempre lo mejor que puedas. Así sabrás que pusiste lo mejor de ti. Incluso si el resultado no te es favorable, por lo menos jugaste un buen partido. ¿Comprendes?

— Supongo que sí — repuso Raúl —. Si yo me esfuerzo y trato siempre de jugar lo mejor posible, tal vez ganemos.

— ¡Acuérdate del pase de gol que hiciste en el primer tiempo! — le recordó Felipe —. Hiciste un magnífico esfuerzo y estabas realmente emocionado. Debiste sentirte muy bien por haber jugado con espíritu de equipo.

Felipe quedó satisfecho de que su hijo al menos hubiese pensado en el proceso del juego y no en el resultado final. Sabía que el énfasis excesivo en ganar no era saludable, y estaba decidido a tratar de mantenerlo concentrado en perfeccionar sus habilidades y en el trabajo de equipo, y no en el resultado final.

Fomente la competencia sana. La competencia es un buen incentivo mientras no sea una meta en sí misma. Un lugar que fomenta la competencia malsana es la propia escuela (un campo de batalla por las mejores notas, guerras ante los resultados de los exámenes y evaluaciones de las habilidades hasta la saciedad). El movimiento que busca alentar a los niños a que trabajen juntos en proyectos comunes para que puedan aprender no sólo las habilidades académicas necesarias sino, además, a buscar soluciones y a negociar con otros estudiantes, está llegando ahora a las aulas. Los niños que aprenden a trabajar en cooperación con los demás comprenden la importancia de satisfacer las necesidades del grupo, en vez de permanecer totalmente absortos y centrados en sí mismos, interesados únicamente en tener éxito individualmente.

Momento educativo

— Mamá, mira el trabajo de ciencias sociales sobre el Japón que traje a casa — anunció Raúl, emocionado.

— ¡Oh! Parece un gran trabajo — dijo Patricia, mientras volvía las hojas del cuaderno —. ¿Qué nota te pusieron?

— No nos pusieron nota — respondió Raúl —. Era un trabajo cooperativo de aprendizaje que realizamos en equipo.

— Pero ¿cómo pueden saber cómo les fue si no les pusieron ninguna nota? — prosiguió Patricia.

— Recibimos las hojas de retroalimentación en que nos explican cuáles fueron los puntos sólidos del trabajo y también lo que podemos hacer para mejorarlo — respondió Raúl pacientemente.

— ¿Y en las hojas de retroalimentación había calificaciones? — insistió Patricia —. ¿Cómo sabrán si les fue bien o mal?

— Eso no tiene importancia, mamá — respondió Raúl —. Nos divertimos mucho trabajando juntos y aprendimos bastante sobre el Japón.

— ¿Trabajaron todos, o parte del equipo se recostó sobre los demás y los dejó hacer todo el trabajo? — preguntó Patricia.

— No nos permiten hacer eso — repuso Raúl —.
Nosotros escogimos el tema, dividimos el trabajo en
secciones y cada uno hizo una de ellas. Así nadie
puede escaparse de hacer su trabajo. Tuvimos que esperar la parte de Sara, porque estuvo enferma un par
de días. Sin embargo, trabajó en su casa. Reunimos
todas las partes y las juntamos en esta carpeta. Después
cada grupo presentó el trabajo a la clase. Mañana le
toca el turno a Juana de mostrárselo a su mamá.

Patricia empezó a comprender el valor de lo que
su hijo estaba aprendiendo. Era evidente, por el
tamaño del trabajo, que ese grupo de estudiantes
había realizado un esfuerzo considerable en las últi-
mas semanas. No sólo eso, sino que además Raúl
parecía entender el valor de trabajar en grupo para
realizar algo. Él estaba aprendiendo algo más, aparte
de los datos sobre un país: estaba aprendiendo a
cooperar y a formar parte de un grupo.

Establezca metas familiares. Cuando se establecen metas
familiares y se motiva a todos los miembros de la familia a
alcanzarlas, éstos aprenden a cooperar mutuamente para
lograr un objetivo común. Para ayudar a su familia a que
aprenda sobre cooperación, empiece por establecer metas a
corto plazo, fáciles de alcanzar, que sean de interés para
todos. Una salida semanal a cenar, ir a cine o alquilar una
película, preparar un plato favorito, o mirar juntos el programa de televisión predilecto son algunas metas sencillas por
las cuales todo el mundo estará dispuesto a cooperar. Una
vez fijada la meta, determine qué pasos son necesarios para
lograrla. Llevarse bien unos con otros durante la semana,
mantener los cuartos ordenados, recoger los platos de la

cena, hacer la cama cada día y realizar otras labores domésticas pueden ser los componentes básicos requeridos para lograr una meta acordada previamente.

Advertencia: asegúrese de que la meta se pueda alcanzar y de que sus hijos puedan tener éxito en su propósito de lograrla la primera vez.

Después de haber obtenido un primer éxito, su familia puede fijarse metas más difíciles y puede elevar los estándares necesarios para lograrlas.

Momento educativo

Durante la cena, Felipe propuso:

— Necesitamos hacer más cosas en familia. Su madre y yo pensamos que una forma de hacer esto sería trabajar juntos para lograr algo que todos queramos. ¿Cómo les parece?

— ¿Qué quiere decir trabajar juntos? — preguntó Raúl cautelosamente.

— Bueno, hay muchas cosas que una familia necesita hacer para ser una buena familia. Lo que yo quisiera que ustedes realizaran todos los días es hacer la cama y colocar la ropa sucia en la canasta. Eso es todo.

— No veo por qué deba hacer la cama — dijo Raúl desdeñosamente —. Cuando me acuesto siempre vuelvo a deshacerla. ¿Cuál es la razón para hacerla?

— La razón es que una cama hecha hace que tu cuarto se vea aseado y te enseña a ser ordenado. Eso es importante para una familia, porque si no mantenemos las cosas ordenadas, muy pronto habrá tal desorden que no podremos siquiera entrar en la casa.

— Les propongo lo siguiente — intervino Patricia —. Sé que pueden tratar de acordarse diariamente de hacer la cama y colocar la ropa sucia en la canasta. Si lo hacen durante toda la semana, el próximo viernes iremos juntos a la videotienda y alquilaremos algo que todos queramos ver.

Felipe le entregó a Raúl una hoja de papel con casillas para cada día de la semana y las frases "Hacer la cama" y "Ropa en la canasta".

— He aquí una lista de control para que puedan recordar estas dos cosas todos los días. De manera que, si cooperan, podremos hacer todos juntos algo divertido — prosiguió Felipe, complacido de que todos se beneficiarían con el esfuerzo de equipo que la familia se había comprometido a hacer.

Desarrolle el sentido de la colaboración. Los niños que aprenden cómo colaborar, aprenden a incluir en su repertorio la expresión "dar y recibir", lo cual facilita los pasos que debemos dar para progresar en la vida. Enseñe a sus hijos por qué la colaboración nos beneficia a todos y nos hace más felices que si tenemos que llegar a la meta solos.

Momento educativo

— ¡Oye, tonto! ¡Cómo eres de estúpido! — le dijo Raúl a su hermano menor, Jorge —. Quiero construir este fuerte y tú me lo estás impidiendo. ¡Vete ya de aquí!

— Está bien — fue la respuesta de Jorge —. No me importa si algún día lo terminas. De todas maneras, no me dejarás jugar en él — y Jorge entró en la casa.

Al escuchar esta discusión, Patricia decidió que sus hijos necesitaban aprender no sólo a llevarse bien sino que, además, tendrían que reducir su permanente "guerra" y aumentar su deseo de colaborar. Decidió que un poco de estímulo podría servir la causa de la paz y la colaboración.

— Raúl, ¿cómo podrías construir tu fuerte más rápida y fácilmente? — preguntó.

— Necesitaría ayuda — repuso él — ¿Tú me ayudarías?

— Siento no poder hacerlo — respondió ella —. Tengo muchas cosas que hacer en la casa y me tomarán todo el día. ¿A quién más podrías conseguir para que te ayudara?

— Papá podría ayudarme, pero no está en casa — se lamentó Raúl.

— ¿Y qué tal tu hermano? — preguntó ella con aire de inocencia —. Tal vez él pueda ayudar.

— No, él es demasiado pequeño, y no sabe hacer nada. Sólo causa molestias.

— Bueno, si trabajaran juntos, tal vez acabarías más pronto y podrías jugar en el fuerte. ¡Piénsalo! Si necesitas ayuda, aquí está él — dijo y regresó a la casa.

Más tarde, observó a Raúl y a Jorge trabajando juntos en la construcción del fuerte. Raúl había aceptado la ayuda de su hermanito y le había prometido que, si trabajaban juntos, Jorge también podría jugar en el fuerte.

— Ven, Jorge, sostén este extremo de la tabla y yo sostendré éste, y la pondremos encima — le dijo Raúl a su hermano —. Si trabajamos duro, pienso que podremos terminarlo hoy.

Ella observó desde la ventana cómo trabajaban los niños y cómo el rústico fuerte, hecho de viejas cajas y desechos de madera, iba tomando forma. Más tarde se dio cuenta de lo mucho que se estaban divirtiendo jugando juntos en su reciente construcción.

— Niños, realmente hicieron un buen trabajo construyendo ese fuerte — les dijo Patricia cuando entraron a comer algo —. Deben estar orgullosos de lo que fueron capaces de hacer.

— Sí — asintió Jorge —. A Raúl le estaba costando mucho trabajo, pero lo hicimos entre los dos y ahora podemos jugar en él cuanto queramos.

— Y próximamente, vamos a conseguir más madera vieja y otras cosas para hacer una casa en el árbol — dijo Raúl con entusiasmo.

— ¿Ves cómo es de divertido unir fuerzas para hacer las cosas? — comentó Patricia, y los niños asintieron alegremente antes de salir nuevamente a jugar en su obra maestra.

Patricia se sintió complacida de que su pequeño esfuerzo hubiera servido para que los niños empezaran a aprender a colaborar. Con algo más de dedicación, esta tendencia debería mantenerse a medida que Jorge y Raúl empezaran a apreciar las verdaderas recompensas de juntar las fuerzas para hacer las cosas.

Elogie la cooperación. Elogiar a los niños cuando cooperan, aumenta la probabilidad de que les parezca una experiencia placentera y quieran repetirla. Para ayudar a sus hijos a aumentar su deseo de llevarse bien entre sí, como también con los demás, mediante el "dar y recibir", descríbales su comportamiento (también el de su cónyuge y el de las demás personas) cuando estén cooperando.

ADVERTENCIA: EVITE PONERSE FURIOSO Y CASTIGAR A SUS HIJOS CUANDO OPTEN POR NO COOPERAR.

El castigo no aumentará el deseo del niño de cooperar con un padre que le ha hecho sentir dolor.

Momento educativo

Felipe llegó a casa, un sábado, después de unas horas de trabajo extra en la oficina, y encontró a Raúl trabajando intensamente en la limpieza de la casa.

— ¡Oh! — exclamó —. Estás trabajando fuertemente. Gracias por ser tan cooperador. Te llevaré al parque esta tarde por haber trabajado tanto.

— Gracias por ayudarme a ordenar después de la cena — dijo Patricia esa noche, mientras presenciaba algo insólito: Raúl estaba ayudando a recoger los platos sin que ella se lo hubiera pedido.

— Hoy era mi turno — dijo Raúl.

— Lo sé, querido. Pero tenía que decirte cómo es de agradable recibir tu ayuda. Como ya terminamos, podemos ir a dar un paseo antes que oscurezca. Gracias de nuevo por la cooperación.

Al día siguiente, Patricia encontró a Jorge haciendo la cama afanosamente.

— Te estás esforzando verdaderamente para que tu cama se vea bien. Realmente, aprecio mucho tu ayuda —, le dijo.

De alguna manera, mantener su hogar más ordenado adquirió más sentido para los niños al saber que sus padres notaban y apreciaban sus esfuerzos.

Fortalezca los vínculos de sus hijos con la familia. Cuando se les dice a los niños que son importantes en la familia, adquieren un mayor sentido de la autoestima, porque sienten que "pertenecen" a un grupo que los considera valiosos. Para que sus hijos adquieran el sentimiento de que son necesarios, aproveche cualquier oportunidad para señalar su importancia dentro de la unidad familiar. Cuando se les agradece frecuentemente su ayuda y su actitud positiva, aumenta su sentimiento de que son valiosos para la gente cuya opinión respetan más.

Momento educativo

— No sé cómo podría sobrevivir nuestra familia sin tu ayuda — le dijo Patricia a Raúl cuando él le estaba ayudando a arreglar la casa.

— Sí, es divertido trabajar juntos — contestó su hijo, con un destello de placer.

— Es agradable formar parte de esta familia — admitió Patricia, aun cuando a ella tampoco le gustaba todo el trabajo que tenía que hacer.

La vida no siempre era un lecho de rosas, había aprendido Patricia desde niña, pero concentrarse en lo positivo — las flores bellas — le daba más placer que pensar únicamente en lo negativo: los pinchazos de sus espinas.

"Su única contribución a la suma de todas las cosas es usted mismo".

— Frank Crane

POST SCRIPTUM

U STED SABE QUE ES RESPONSABLE de enseñar a sus hijos a comer con tenedor, a atarse los zapatos, a usar el escusado, y que debe estimularlos para que aprendan a leer y escribir. Sin embargo, la educación de los niños no está completa sin las lecciones de conducta y moral que se dan en este libro, lecciones que les ayudarán a aprender cómo tener la experiencia más plena y significativa que un ser humano puede tener: cuidar de sí mismo, de sus amigos, de su familia y de su comunidad.

Usted podrá estar seguro de que las lecciones de este libro, que usted desea que aprendan sus hijos, les serán transmitidas a través de ejercicios, experiencia y ejemplo (sobre todo de ejemplo), porque ¿de qué otra manera podrían transmitirse a la próxima generación si nosotros no nos lo proponemos y no nos dedicamos a lograrlo?

Cuando algunos individuos, de manera consciente y comprometida, han empleado su energía para enseñar amabilidad, respeto y compasión, hemos visto los notables resultados: tanto el estudiante como el profesor de estos valores se sienten más felices, más satisfechos y renovados.

¿En dónde hemos sido testigos de los poderosos efectos de la enseñanza de estas virtudes? Hemos visto, con nuestros propios ojos, cómo se produce esta asombrosa experiencia, porque hemos visitado escuelas en todo el país que han cosechado los beneficios de la incorporación en sus currículos del programa educativo para escuelas, merecedor de un premio, llamado "La amabilidad es contagiosa...¡Contágiese!" Los cuerpos administrativo y estudiantil de cada escuela informaron que la disciplina y el desempeño académico mejoraron sustancialmente, como también el ambiente general para el aprendizaje, desde el momento en que todos creyeron en la meta común de preocuparse por los demás.

Estamos seguros de que los componentes universalmente aceptados del buen comportamiento que presenta este libro se pueden enseñar mejor si se combina el ejemplo y la asesoría de las dos fuentes más influyentes en el aprendizaje de los niños: los padres y los educadores formalmente capacitados, quienes siempre han trabajado juntos para fortalecer el conocimiento de la generación más joven.

"Nunca dude de que un pequeño grupo de ciudadanos reflexivos y entregados a su causa pueda cambiar al mundo. A decir verdad, nunca ha ocurrido de otra manera".
— MARGARET MEAD

AGRADECIMIENTOS

GOZAMOS MUCHO ESCRIBIENDO ESTE LIBRO. Nos encantó ver la felicidad que estos 20 valores les producen a quienes los practican. De hecho, nos forjamos esperanzas, en ocasiones incluso un poco exageradas, respecto a las futuras generaciones, al imaginarnos familias verdaderamente entregadas, en su interacción diaria, a estos comportamientos que las conducirán por muchos senderos fragantes y llenos de virtud, tal como lo han hecho las familias de incontables generaciones pasadas. Nos encantó pasar muchas, muchas horas rumiando estas cosas buenas: lo mejor que los seres humanos pueden ofrecerse unos a otros. Y, finalmente, simplemente nos encantó la imagen de adultos de buen corazón tratando sinceramente de "ponerse en los zapatos" de sus hijos, y viceversa, mientras adoptaban comportamientos de empatía con su familia: la verdadera virtud esencial que hace que la vida humana sea tan valiosa.

Mientras estábamos decidiendo cuáles historias relatar y qué ejemplos emplear, recibimos permanente estímulo y apoyo de cientos de colegas, profesores, padres, amigos y vecinos que, como nosotros, escucharon el llamado de la gente que pedía un libro práctico y de fácil uso centrado en qué "enseñar" (en lugar de sobre qué "moralizar") a nuestros niños en lo relativo a lecciones de conducta.

Muchas maravillosas perlas de sabiduría fueron descubiertas cuando compartimos la gestación de este libro con nuestros seres amados y cercanos. Fue en el seno tranquilo de nuestras respectivas familias en donde nosotros dos recibimos nuestras primeras pinceladas de virtud, y nuestra primera inspiración fueron los ejemplos basados en los recios principios morales y éticos que guiaban su trabajo y sus diversiones. Y fue en las oficinas de Kathleen Currence y Betty Lewis, en las aulas de Lynn Granger, Jackie Lenz, Teresa Hogan y Robin Hodges, en la acogedora cocina de Elaine Nelson, y en los kilómetros caminados y conversados con Cathy Alpert, SuEllen Fried, Margaret Martin, Adele Hall, Ellen Hamilton, Rita Blitt, Marcia Biel, Mary Ann Hale, Mary Shaw Branton, Page Reed, Daniel Brenner y decenas de colegas, en donde gran parte de este libro adquirió vida propia. También damos nuestros agradecimientos a los niños de Overland Trail Middle School, Tomahawk Ridge Elementary School y Santa Fe Trail Elementary School por compartir con nosotros los pensamientos que se encuentran citados en este libro.

A través de nuestra asociación con el Character Education Partnership, hemos tenido la fortuna de conocer mucha gente que también merece una ovación por su voluntad sin compromiso para profundizar en su corazón y en su mente, y enseñar estas lecciones de virtud a sus estudiantes a lo largo de Estados Unidos. Un gran abrazo para nuestra agente, Susan Ann Protter, cuya fe en este proyecto y en el poder de vivir una vida virtuosa mantuvo este barco dentro de su ruta. Sin la dedicación y tenacidad del personal directivo de *Twins Magazine* — Jean Cerne, Bob Hart y Cindy Himmelberg, en particular —, el sueño de este libro podría seguir simplemente dando vueltas en nuestra mente. Reciba también nuestros elogios la asombrosa Cathy Diggs, quien de manera tan capaz nos mantuvo a flote y navegando suavemente en medio del increíble volumen de trabajo generado por esta travesía.

Estamos en profunda deuda con Robert Unell y Millie Wyckoff, quienes comprendieron que este libro simplemente *tenía* que nacer y nos prodigaron su empatía, paciencia y cuidados durante su creación. Al distinguido Thomas Lickona le debemos nuestra sentida gratitud por encender el fósforo que realmente hizo arder la llama de la educación del carácter que brilló mucho más fuerte dentro de nosotros después de leer su maravilloso libro *Educating Character*.

Y, muy especialmente, nuestros agradecimientos para nuestro editor, John Duff, por creer. Y por los dones de respeto mutuo y amistad que han nacido de este libro mágico.

"Siempre prefiero creer lo mejor de todo el mundo; eso ahorra muchos problemas".
— Rudyard Kipling

Apreciado lector,

Si desea recibir información sobre nuestras próximas publicaciones, por favor llene esta encuesta y, a vuelta de correo, recibirá periódicamente nuestro Boletín mensual de novedades.

1. ¿En qué libro encontró esta encuesta?

_____

2. ¿Qué opina usted del contenido de ese libro?

   Excelente ❑   Muy bueno ❑   Bueno ❑

   Regular ❑   Malo ❑

Observaciones: _____

3. De las líneas que publica la División de Interés General (Gerencia, Superación personal, Salud, Hogar y familia, Espiritualidad, Humor y Computadores), ¿sobre qué temas le gustaría leer?

_____

Nombre _____

Profesión _____

Dirección _____

A.A. _____ **Teléfono** _____ **Fax** _____

Ciudad _____ **Departamento** _____

Le agradeceríamos enviar esta encuesta a:
Grupo Editorial Norma
División de Interés General
Departamento de Mercadeo
A.A. 46 Cali (Valle)   (Oferta válida sólo en Colombia)